塩江物語　第六話

春子絶唱

目次

春子絶唱

島上　亘司

私は藤澤五郎という古希になる老生です。香川県の塩江という山深い郷の生まれです。私は生涯で春子という名の女性に二度真剣な恋をしました。十代の多感な日に藤澤春子、そして古希の晩年に中山春子という女性を愛しました。一人目の藤澤春子は私の中学時代の同級生で昭和四十三年の春、塩江の香東川の椛《かば》桜が咲く季節に腎臓病で、若くして旅立って逝きました。二十歳でした。

二人目の中山春子は、私の老いらくの恋に付き合ってくれた心底優しい女性です。

現在、私は奇しくも藤澤春子と同じように腎臓病となり、三日に一度人工透析を受ける身となりました、この病から多臓器にも不全を及ぼしています。もう余命幾ばくもなく、まもなくあの世に旅立ちます。男という者は死を前にすると愛した女性のことを想うものです。私は中学の同窓で親友の山上三郎君に心から愛した二人の春子の恋愛譚を話し著述を頼みました。私には何も残すものがなく、せめてもの私の生きた証しとして。こんな無辜でつまらない男の恋愛譚ですが、いつの日か誰かの眼にとまり読んでいただければ、それはそれでよいと思っています。

両春子の春はどこにある。春子よ永遠に。

私は中学を出てから、それこそ仕事一筋で馬車馬のように働きましたが、ついには結婚もかなわず古希となりました。還暦を迎えた六十歳頃はまだいきがって独狼ですと夜の巷でよく饒舌を言っていました。然し、今は独身ということが気軽で良いと思っています。死ぬときは誰しも独りなんだ。そう思うと世俗の苦痛がいつしか消え去っていきます。

いまさら伴侶を持つ身でもなく、今は両春子との懐かしの日々の思い出に浸る暮らしです。現在はある高級有料特別老人施設に入所し、手厚い看護を受け悠々自適に暮らしています。全財産は適当に処分し、ここが終焉の地となると思います。

四国の阿讃山脈〔香川県と徳島県を東西に横断する山脈〕のほぼ中央部に位置する香川県香川郡塩江村〔現高松市塩江町〕、香川の人に塩江のことを聞けば「嗚呼《ああ》ーあの遠国《おんごく》の」という言葉が一様に返ってくるほど山深い町です。

私はこの町の塩江中学校を昭和三十八年春に卒業し、香東川の椛桜の吹雪にまるで慌ただしく押し出されるようにして故郷を離れました。京阪神地方に集団就職をした級友《クラスメイト》は三十人程でした。この中に私が本当に切ない恋をした藤澤春子という級友がいました。

当時は、今のように瀬戸大橋もなく、本州に渡るのは連絡船を利用するというのんびりとしたもので、私と春子も高松築港駅から連絡船に乗って京阪神に出ました。連絡船が大阪港〔天保山〕に着くと級友は大阪・京都・奈良と各方面へ散らばって行きました。

私の就職先は大阪府高槻市のM電子工業で、春子も同市内にあるK紡績化粧品でした。私と春子とは連れ立って同市に向かいましたが、それまで春子とは級友であってもおとなしく、目立たない女生徒でしたことから話をしたこともなく、道行は終始無言でありました。

国鉄〔現在のＪＲ〕京都線の高槻駅・改札口を出ると、私の就職先のＭ電子工業の担当者が待っていて、私はすぐ社用車に乗せられました。春子に別れの挨拶をすることもなく慌ただしい出発でした。車窓から春子を見るとひとり置き去りにされた形で、目を伏せ今にも泣き出しそうな顔で私の車を見送ってくれました。その不安そうな顔がこの齢になってもなぜか強烈な印象として脳裏に残っています。今思えば春子とはいつもそんな別れ方で、そのときから将来を暗示したような別れ方であったように思います。

懐古

その日から半年後、暑い夏の終わりを告げ、初秋の爽やかな風がそよぐ日曜日の午後、高槻市内の高槻センター街を歩いていたとき偶然に春子をみつけた。

私は咄嗟に驚かそうと、後ろからそっと近づき「藤澤さん、春子さん」と声をかけ、ポンと軽く肩を叩いた。春子は後を振り返り、「アッ、藤澤君」と言ったまま、慌てて手を口に当て眼をぱちくりさせ驚いた。

私は、何となく近くの喫茶店に春子を誘い春子も快く応じてくれた。つい半年前の桜の咲く季節、当市へ来たときは学生服とセーラー服で押し黙って話しもせず電車の車窓から過ぎ行く景色をみていた二人であった。あのおとなしい春子が誘いに応じてくれたのは、社会人となり、大人の仲間入りをしたことから少し大人になったのだろう。それと見知らぬ土地で古里の級友に会ったという懐かしさと安心感も多分にあったと思う。

「藤澤君って、急に大きくなったのね。今何センチあるの」

「僕、チビだったが急に背が伸びて八センチくらい伸びたかな。今百六十八センチくらい」

「いいね、私少しも伸びないの、今百四十八センチくらいよ」

「藤澤さんって可愛いから、それでいいじゃないの」

「藤澤君って、口がうまいのね」

春子と私は同じ姓で「藤澤さん」「藤澤君」が飛び交った。私が春子に、

「同じ藤澤じゃ言いにくいけん、春子さんって呼んでええ」

と讃岐弁で言うと春子も、

「私も、これから五郎さんって言うけん」

と春子も方言で気分よく応えた。方言で言い合うと新密度が増し、春子と私の仲は急速に縮まっていった。その日の会話は浮き浮きと弾んだ。

この日を境に二人は親しくなり、私は春子の寄宿している女子寮に三日に一度くらいの割で電話をするようになった。中学時代の春子はどちらかというと遠い存在のシャイな女生徒であったのに、今では電話までする仲になったのが何となく面映かった。中学の時にはとても考えられない不思議な気持ちであった。電話の内容は実に他愛無いもので、毎日の出来事を延々と喋るようなものだった。

私が電話をかけると寮母が「春ちゃん、春ちゃん彼氏から電話よー」と大きな声で呼び、私は寮母の彼氏という言葉を電話口で聞くと急に大人になったような感じを受け顔が自然と火照り戸惑った。春子も同じだったようで電話口から「はい春子です」という言葉にも何かはにかんでいる様子が窺えた。私は、このはにかむような、まだ大人慣れしていない一声「はい春子です」の黄色い声が好きであった。その声を聞くと何となく安心感があり、心が弾み工場勤務のきつい一日の疲れがいっぺんに癒された。

春子とは月一回ぐらいで会っていた。当初はデートと呼べるほどのものでなく只何となく喋って別れていた。それでも何となく嬉しく毎週会いたかったが、日曜日は会社のレクレーション、労働組合等の参加行事も多くあり、また春子の会社においても同じようなものであった。当時の社会環境は中卒者は金の卵と持て囃された雰囲気があり、若輩の労働者にとっては良き時代であった。

当時のデートは映画を観賞し、喫茶店に入るのが若者のワンパターンだった。私と春子も同じように青春映画をよく観た。吉永小百合、浜田光夫の「泥だらけの純情」舟木一夫の唄う「高校三年生」を観たとき春子はボソーッと「高校生っていいよね。五郎さんって高校で学んでいるのね、高校っていい、私も行きたいな」と言ったことがある。私はそのとき夜学の高校に通っていた。これは会社の方針で、苦学生として高校には通学していたが、春子の勤めている会社にはそんな優遇措置がなく、春子にはちょっぴり悪い気がしていた。

私は「いや皆、昼間の勤務で疲れて眠っている人も多いんだ」というと「でも行ってみたい」と春子は寂しそうに眼を伏せた。私は、そのとき何となく良い会社に恵まれた環境に感謝した。然し、全日制の昼間の高校でもなく夜学なので複雑な気持ちが交差したのだった。

デートでは、もっぱら塩江の話のことが話題になった。

「何故、塩江には藤澤姓が多いのかしら」

「これは担任の藤澤寛斉先生が言っていたけど、藤澤家の先祖は平安時代後期に京の貴族だった藤原家が讃岐に来て、その一族の中の藤原某《なにがし》という人が塩江の上西郷《むら》に住みつき、源平合戦の屋島の合戦では源氏に味方して手柄を立て褒美を貰い、それから藤澤新太夫を名乗ったんだって。藤澤一族の中には江戸時代の末期、塩江から大阪に出て活躍した藤澤東畡《とうがい》っていう学者も出て、そんなことから塩江には一番藤澤姓が多く、塩江には藤のつく名前の人もようけいるって藤島、藤本、藤井って」

「フーン、五郎さんって、何でも良く知っているのね。私も藤澤姓だけど、これは明治になって苗字が許される事になって付けたんだって、私の生まれた嵯峨野《さがの》には平家の落人伝説があって源平の屋島の合戦で落ちのびた人が住みついたって、お祖父《じい》ちゃんが言っていた。京都の嵐山に嵯峨野っていう地名があって、そこの風景がよく似ているので嵯峨野って付けたんだって、私の家《うち》は藤澤姓を名乗っているけど平家の血が流れているんだって」

「フーン、そうかぁ、僕の家は源氏だって父が言っていた。それじゃ僕の家と春子さんの家とは敵になる訳だ、そんなの嫌だな」

「それって源平合戦のときじゃない、もう二人とも藤澤一族よ」

「でも、昔のことと言っても、春子さんは、平家の流れを受け入れているんだ。だから古風なんだな。何事も控えめで、それに近頃とても綺麗になった」

「なに言ってんの、五郎さん。それって私が田舎者って言ってるのと同じよ。ほんと私は垢抜けないのだから、五郎さんは嘘ばっかり言って」

そう言うと、春子の顔がポッと桃色に染まり、なんともいえない素朴さが感じられた。

・

中学を出て頻繁に会う級友は春子だけで、他の級友はどんな顔になっているのだろうかと思うときがあった。デートのときいつも思うのだが現実に眼の前にいる春子を見ていると中学卒業のときからそんなに変っていないというか変わり映えしない。私は春子の前では一丁前に誇らしく背広を着て大人の気分に浸っていた。そんな上から目線で春子を見て、いつも化粧品会社に勤めているのに、少しばかり化粧すればいいいのにと思うほど、春子は身なりには一向かわまず素朴な少女のままであった。

私が初めて春子に会ったのは、塩江中学校入学式のときである。本校の塩江小・中学校は同じ校庭の中にあって、春子は椛川《かばがわ》分校から転入してきた生徒であった。小柄でおとなしそうな印象を受けた。そのときからも、今、社会人になってからも、そんなに変ってなく田舎らしい純朴さが感じられた。

M電子工業で同期に入った女性社員は、日々化粧も進化していく、中には派手な化粧をし全然別個の人物になったような容姿の者もいた。春子も、それに見習いほんのちょっぴり変わってくれればと思うときがあった。

私がある日のデートのとき「春子さん、パーマはかけないの」と言ったときがある。そうすると春子は、機敏に何かを感じたのであろうか、次のデートのときパーマをかけてきた。そのとき春子はしきりに頭に手をやり照れた。私はその初々しいしぐさに微笑んだが、春子の古風な顔とパーマとはチグハグな感じで似合ってなく、春子の気持ちを慮《おもんぱか》って特に何も言わなかった。春子が一大決心してパーマをかけたのに、それに反して私があまり喜ばなかった。そのことが乙女心を痛めたのだろうか、次のデートのときには元通りのショートの髪型に戻していた。

今ではあのとき、もっと喜んであげていればと反省している。

春子とは二年ほど付き合った。付き合ったといっても一度も手を握ることなく映画を観て喫茶店で食事し、そして夕方になると手を振って別れた。只、それだけの純な交際だった。その中で想い出に残ったものがある。一度は、京都の嵐山の嵯峨野に行ったことが印象に残っている。嵯峨野は春子の生まれた椛川の嵯峨野と同じ地名であり、なにより春子が喜んだ。阪急電車京都線の嵐山駅を降りると駅前から保津川に沿って嵯峨野へ行く散策コースがある。

秋のやわらかな日ざしの中を二人りともなんとなく照れて歩いた。あのときなぜ手をつないで歩かなかったのか、今でも後悔している自分がいる。向井去来が隠遁した落柿舎《らくししゃ》、静寂な常寂光寺、竹林を抜けると化野念仏寺《あだしのねんぶつじ》。あの日春子は、

「ここが嵯峨野なの。私の家《うち》の椛川の嵯峨野と同じ地名なの、なにかとても嬉しい」

と言った。

大阪市の通天閣にも行った。通天閣は藤澤東畡の長男、漢学者・藤澤南岳が命名した塔だった。展望台にあるビリケン像の足裏を触ると願いが叶うという像に、私はなんとなく「春子さんといつも一緒にいたい」という漠然とした願いをかけた。

「春子さんは何の願いをかけたの」というと春子は、はにかむように「内緒」といって人差し指をそっと唇に当てた。その後、南《みなみ》の繁華街、難波に出て、当時流行ってい た歌声喫茶に入った。楽団の生演奏に私も春子も驚いた。その頃の流行歌は橋幸夫・舟木一夫・西郷輝彦の御三家の唄を皆がこぞって歌っていた。私と春子は舞台の上に立つことはなかったが、客席で皆に合わせて一緒に歌った。そのとき初めて春子の歌声をきいた。小さなハスキーな声で草笛のような蕭条な声だった。

・

歌声喫茶で唄った、あの楽しかったデートの日を境にして、春子との別れは砂浜で握った砂が指からこぼれ落ちるように、自然と別離に向かっていった。別れはいつも突然にやって来るものだろうか。それとも、それが天命なのだろうか。何故なのか、何故そうなるのだろうか、私自身にも分からない。

春子に電話をするもののすれ違いが多くなり、月一度、恒例になっていたデートも何かしら遠ざかっていった。これは私自身にも問題があった。というか、その時代は、高度成長により、会社のテレビ事業が拡大し、皆がテレビを欲しがる時代に突入していた。そのことから仕事が殺人的に忙しく、勤務の都合でデートを断念し、その都度断りの電話を入れることが多くなった。そんなこともあって、ついつい電話をかけそびれた。そんな繁忙なときにも春子から時々電話をもらっていたが、そのときに限って私は不在であった。

翌日、今度は私から春子に電話をかけると、反対に春子が不在であった。そんなことが度重なったある日、春子に電話すると寮母が「春ちゃんは会社を退職して田舎に帰りました」と言った。私は突然のことで驚き、春子に何があったのか胸がパクパク波打ち、手に持っていた電話器をガクガクさせた。寮母は春子からの託《ことづけ》があると言い、その伝言とは春子の田舎の「父親の用」で帰郷するとのことだった。

それを聞いたとき父親の用って何なんだろう。そんなたった七文字のため会社まで辞める理由は何なんだ。会社を辞めるほど重要な事なら、どんなに忙しくても、私に相談して欲しかったのに。塩江に帰っても仕事がないのは明白なのに何故なんだ。次から次へと疑問が湧いて来るのであった。そして何よりも春子自身の口から直接、その父親の用とやらを言ってくれなかったのか。そういう複雑な気持ちと、春子にとって私という存在はいったい何だったのか、そんなに私は信頼されていなかったのか。二年間も交際してきたのは何だったのか、自問自答し、情けなさと歯がゆさが交錯し、心は奈落に堕ち込んでいった。

〔黙って行くなんて余りに冷たいじゃないか、一言、ほんの一言塩江に帰るって言ってくれれば〕

私は私自身の気持ちを落ち着かせるためと、春子の近況等を知りたいために春子に手紙を書いた。春子の実家には電話が無く、そのため手紙にしたのである。手紙には私の春子への率直な思い、近況をしたため数通投函するも梨の礫であった。私の気持ちが何故、分かってくれないのか、そのうち春子の馬鹿「もういいや」と切ない気持ちになっていった。

「あんな娘《ヤツ》どこにでもいる。どこかに消えてしまえ」

春子の家は七人兄弟ということから、両親は生まれた赤ちゃんの名前もろくに考えず春に生まれたことから春子と命名したのであろう。現に自分も五番目に生まれてきたことから五郎と付けられた。そんな似た者同士だったのじゃなかったのか。大阪の見知らぬ土地で、共に頑張ろうって誓ったじゃないのか。いつしか春子をけなし恨み毒づいた、思えば十七歳のときに味わった寂しい青春の蹉跌であった。

春子との突然の別れから二年経ち私は十九歳になっていた。その間、しばらくは、真っ青な空の中に突如透明な空間が出来た状態だった。そのポッカリ空いた穴の中に精神が吸い込まれていくような虚脱感が続き、仕事上での失敗が度重なった。

作業中に小火《ぼや》を起こしたこともあり、これは私のまったくの不注意によるもので言い訳の出来ないものであった。コンセントに差し込んでいたプラグの上の埃を清掃してなく、その上に積もり積もった綿ぼこりから発熱し、出火したものであった。これは私が仕事をなまけていたからで、特にこの手の事故は会社がもっとも嫌うものだった。小火とはいえ火災を出すことは、会社の信用失墜行為となる。この事故から私は鬱《スランプ》状態となり、何とか会社勤めをしていたが小さな仕事上のミスが続き、またある日、私の持ち場の精密機械を些細なミスで故障、稼働できなくさせ、工場長にこっぴどく叱責された。これも私が機械にミシン油《オイル》を注入していなかった不注意から発生させたもので、工場全体を揺るがすものとなった。

「おい五郎、お前は優秀やけん、M電子工業に推薦した。あの会社は夜間高校にも行かせてくれる。M電子工業は日本で一番の電気会社や、入ったら三年間は石にかじりついてでも辛抱するんだ。ええか絶対に辞めたらあかんぞ」

中学の担任藤澤寛斉先生はそう言った。然し、この春で入社して四年経ったんだ。もう辞めよう、夜間高校も出たんだ。この会社を辞めて他の会社に入り、出直そうと思った。今の時代は、働くところはいくらでもあり困らなかった。会社に急用と称して休暇をとった。決断は速く心は浮き足だった。そのとき何となく高知の桂浜に行こうと決めた。桂浜は小学校の修学旅行で行ったことがあり、憧れの坂本龍馬の銅像の下で太平洋を眺め、そこの近くの郵便局から退職願を郵送しようと思ったのである。

社宅を出たものの急ぎの用事でもなく、高知に行くのは一番早い便は国鉄山陽本線から岡山に行き、そこから宇高連絡船で四国の高松に渡り、土讃線で高知に行くのが一番早い方法である。然し、そのときは神戸港から渡船で淡路島の洲本に行き、路線バスで淡路島を縦断・徳島県の鳴門に渡り、そこから徳島本線に乗って高知に向かった。吉野川右岸に沿って走る車窓の窓枠に頬杖をついたまま、漠然と右手に連なる阿讃山脈を眺めている内、仕事上の失敗続きのことが蘇り、自分の不甲斐なさに眼頭が熱くなり涙が知らず知らずに浮き出てくるのであった。

「嗚呼ー、私は会社を辞めるんだ」

通り過ぎて行く車窓の景色が過去のつらい事例を次々と思い出し重層していく。吉野川中流域付近に架かる紅色の穴吹大橋が見えたとき、「次は穴吹、穴吹」という車掌の車内放送が流れたとき思わず衝動的に立ち上がった。

穴吹駅からは国道193号を通して香川県の県都、高松市に通じており、その中間地点に故郷の塩江がある。琴電の路線バスで塩江に帰れる。塩江には中学を卒業してから一度も帰省してなく、そのとき久しぶりに帰ろうとする気持ちが支配した。列車が穴吹駅に着いたときは躊躇せずに飛び降りた。

改札口を出て駅前ロータリーにある高松行きの琴電バス停留所に駆けた。すぐ時刻表を見ると塩江行きのバスは午後二時であり、まだ一時間程の待ち時間があった。駅前から見る吉野川の青い清流を見ているうちに自然と河原に足が向かった。河原は中学校のときの遠足で自転車に乗ってきた思い出の場所だった。吉野川の水面を見ていて静かに眼を閉じ旧制脇町中学生が失恋死したときの詩を思い出し口ずさんだ。

〜♪　梅花は風にさっと散り、散るも花なら咲くも花
死に行く人はまたと来ぬ、哀れをしのぶ吉野川
鳴呼無情、恋無情　♪〜

口ずさみながら、ふっと春子のことを思い浮かべ、無性に会いたくなる自分がいた。塩江には春子がいる。私の心はいつしか春子を想った。春子とデートし楽しかった懐かしい日々がしきりと蘇ってくる。中学校の同級生であり、初めて交際した女《ひと》であった。

〔春子さんに会いたいなぁ、でも春子さんは黙って塩江に帰ったんだ、今更私に会わせる顔がないだろう・・・〕

そんな思惑なことを考えながらバス停に戻ってくると、春子に良く似た女《ひと》がいる。突然の出来事なので驚き、何回も眼をこすり凝視し見やったが確かに春子に間違いなかった。別れた二年前とあまり変っていないショートカットの髪に薄青色のワンピース姿だった。私は駈け寄り逸《はや》る声で、「春子さん」と言ったあの高槻市の商店街で声をかけたときと同じように、春子は一瞬、何が起きたのかと唖然とした表情となり眼をパチクリさせた。二年ぶりの劇的な再会であった。

「春子さん元気だった」春子はうろたえながら、

「五郎さん、どうしてここに」と驚いたように言った。

「会社の休暇を取って帰ってきたんや」

「五郎さんには悪いことをしたわ」春子は何か弁解じみたことを言おうとしたが、私はそれを制止し、

「いや悪いのは私の方なんや、春子さんから伝言の電話をもらったのに放ったらかしにして」

塩江に向かうバスの車中においては、別れた後の空白な時間を埋めるように夢中に話し合い話題は尽きなかった。

「私、父の病気の腎臓病が悪くなって、K化粧品を辞めるとき五郎さんに相談しようとしたのだけど、五郎さんとはどうしても連絡が取れなくて、寮母さんに託《ことづけ》をたのみ、塩江に帰ったんだけどごめんなさい。父の病気のことを五郎さんには心配かけたくないと思って、咄嗟に父の用と言って伝言したの。でも、今日偶然に会えるとは思わなかったわ。今日はたまたま買い物に来ていたの。父が日の出家の葡萄饅頭を食べたいって、それで穴吹に来たの」

「春子さんが、突然に塩江に帰っただろう。私は何があったんだろうって、とても心配したんだ。でもお父さんの病気と分かって安心したよ。でも直接にそのことを春子さんより聞きたかった。春子さんに私は数通手紙を送ったんだけど読んでくれた」

そう言うと、春子は「えっ」と言い、

「それ、本当、私知らなかったわ」

春子は動揺を隠し切れずに小刻みに身体を震わせ、睫毛《まつげ》を瞬かせた。

「五郎さん、本当に知らなかったの、ごめんなさい」

そう言うと春子は、両掌で目頭を押さえた。蒼白い頬を伝い数滴の涙がワンピースの上に零れ落ちた。私は、その美しい白い涙を、そっとハンカチで拭った。

「良いんだよ、春子さん。手紙は何かの手違いで届かなかったんだと思う。私がもっと気を使っていれば良かったのに」

「ううん、違うわ。悪いのは私の方、私がもっと気を使って五郎さんに連絡を取っていれば。塩江に帰るとき私、五郎さんと会って、お話ししなければならなかったのに。五郎さんに連絡を取らないまま帰ってしまって、五郎さんの会社の寮母さんにも、父親の病気のことを詳しくお話をしなければいけないのに、寮母さんは忙しそうにしていたので、つい具体的な話をせず、父の用でと託けたのが一番悪かったわ。でも私、塩江に帰って来てから、ずーっと、ずーっと五郎さんからの連絡を待っていたの。こちらから公衆電話で五郎さんに何回か電話もしたの。そのとき寮母さんに、私から電話したことを頼もうと思ったわ。でも恥ずかしくて言えなかったの。ごめんなさい。五郎さんも私に、手紙を出してくれていたんですね。私、そんな大事な事知らなくて、母、兄が隠していたのかも知れません。私聞いてみます。五郎さん本当にごめんなさい。ごめんなさい」

〔そうかそうだったのか、待ってくれていたのか・・・、春子さんが、とても愛おしい、この女《ひと》を絶対に不幸にさせてはいけない・・・護ろう〕

「いいよ、いいよ。悪いのは私の方にも沢山あるよ。手紙を出したって、数通だけだよ。来なければそれ以上に出さなければいけない、だって男だろう。女の人をリードするのは男の役目だよ。春子さんはそんなに謝ることないよ。それに手紙の事は、お母さん、お兄さんには内緒にしておいて欲しい。これは春子さんの事を心配して隠したんだと思うよ。それに手紙の内容は、恥ずかしいことが一杯書いてあるから、もう読んで欲しくないよ」

「マァー、それなら、なおさら読みたいわ」と春子は満面の笑みで応えた。

私は手紙のことで、それ以上の詮索はしたくなかった。そのことよりも春子との偶然の再会を心から喜んだ。

春子がK紡績化粧品を辞めた経緯は、春子の父を病気介護のためだったこと。塩江に帰った後も、私からの連絡をずーっと待ち続けていたこと等。聞けば聞くほど悪かったのは私の方なのだ。なのに春子は私に黙って塩江に帰ってきたことを仕切りに気にしていた。然し会話することによって、いつしか二人の別離のひび割れは、心の襞《ひだ》を潤すように徐々に塞がれていった。

「春子さん、今何しているの」

「農協に勤めているの、といっても非常勤の日雇いなんだけど。それより五郎さん、今もM電子工業に勤めているの」

「うん、まだ勤めているんだ。でも春子さんと別れた後、失敗が続いてもう会社を辞めようと思って、旅に出たんや、小学校の修学旅行で高知の桂浜に行ったやろ。あの坂本龍馬の所に行こうと思って。でもいつしか塩江に足が向いていたんだ。春子さんに会いたかったんだと思う」

「そう、そんな事があったの。知らずに、私のせいね。五郎さんごめんなさい。私が悪かったわ」

そういうと、春子は哀しそうに睫毛を伏せた。

「春子さん、そんなこと心配しなくていいよ。もう会社を辞めることを止めたよ。だって今日春子さんに会えたんだ。そしてその理由が分かったんだ。これは何か良い巡り合わせのような気がするんだ」

そういうと春子は、ホッと安堵したような表情になり、軽い吐息をし、ポッと頬を染め眼を伏せた。そして一息ついて、

「五郎さん、誰か付き合ってる人、いるの」と、はにかみながら唐突に言った。

「何故そんなこと聞くん。誰もいないよ。それより春子さんは・・・」

「誰もいないわ。五郎さんと私は高槻市に就職したでしょ。中学では五郎さんは女子に人気があって、私皆に羨ましがれたの。春ちゃんいいなって」

「馬鹿なこと言って、そんなこと誰からも聞いてないよ」

「ううん、本当よ。M電子工業に採用されたのも、五郎さん成績が良かつたからでしょう。五郎さんは成績がよくてクラスで一番だったじゃない。寛斉先生がいつも言ってたわ。中卒で働くのは勿体無いって、だから、そんな事があって、皆に春ちゃんいいなって」

故郷の塩江バス停で降りた。私の実家はバス停の近くであったが帰るのは後まわし

にした。別離からの話を癒すにはあまりにも時間が足りず話が尽きず、まだ若い二人には、去りがたく一緒に居たいという気持ちが猛然と湧き、塩江の温泉街をなんとなく二人してぶらぶらと歩いた。二人とも気持ちが昂ぶっていたのであろう。どちらが言うでもなく自然と春子の実家に向かって歩き出していた。春子の家は塩江バス停から南へ六キロほどの山間の椛川《かばがわ》・嵯峨野郷であった。

香東川から支流の椛川沿いに、嵯峨野の春子の家までの道程は遠いとは思わなかった。そのことよりも春子と久しぶりに歩ける、その喜びに胸が高鳴っていった。私達の再会をまるで祝うように、椛桜の柔らかな花風が頬にさよさよと舞い祝してくれる。その満開に咲き誇っていた桜並木のなかを浮き足立つ気持ちで歩いた。嬉しかった。

満開の桜並木の精に誘われるように、いつしか小指と小指を絡ませていた。春子の白くて細い指先からの温かい血流が胸に伝わりほのぼのとし、夢心地の気分になってくるのであった。黄昏から小夜となる時分、夜風に誘われチラッと横目で春子を覘き見て、嗚呼っと驚いた

煌々と照る月光下に見る春子の顔が透き通るように蒼白く、絵巻物の中に見る幻想

的な官女の奥ゆかしい気品さと美しさが漂っている。何時か春子と京都の嵯峨野を歩いたときがあった。そのとき「私には平家の血が流れているの」と言ったことがある。嗚呼、その血筋とはこの事なのか、その時の言葉を鮮明に思い出し、心は平安時代の風流《ふりゅう》で雅《みやび》な世界に入っていった。その後は、春子の家までの道程をどう歩いたのか全く覚えていない。

私は春子の家近くで、胸をドキドキさせながら、「じゃ春子さん、また」と言い握手をした。春子の掌はほんのりと温かく、その雅な温もりで急に胸が熱く高鳴り、大きく「ボコッ」と波打った。私は一目散に駆け出した。私は高揚し真っ赤な顔であったろう。そんな真っ赤な顔で、突然に帰郷した私を見て、父母は驚き、会社で何かあったのかと心配した。そんな両親の心配を他所に、私はその日の月夜にみた春子の幻想的な美しさに魅了され、その夜は高揚して寝付かれなかった。

〔春子の古風な奥ゆかしく、穢れなき気品さに魅了され、胸一杯にその精が宿っていった〕

・

春子と再び逢えた事から、また交際がはじまった。そして会社勤めによる事故《トラブル》も一切なくなった。春子の存在がよい影響を与えたのであろう。春子の家には電話がなく文通がはじまり、せっせと頻繁に手紙を書いた。今度は春子からも応じるように手紙が届いた、取りとめての内容はなかったが、手紙を見るだけで幸せだった。そして一ヶ月に一度は塩江に帰省した。往復は連絡船を利用し、土曜日の夜に帰省し、月曜日の朝大阪に帰る強行日程であった。春子はいつも高松築港で出迎え、私は連絡船から春子は埠頭で手を振りあった。

日曜日はいつも高松の繁華街、常盤街《ときわがい》で春子と会って食事し映画を観て、その夜に高松築港で連絡船に乗り春子に見送ってもらう。その間、手を握ること以上はしなかった。春子が、そこにいるそれだけでいい、そんな楽しい至福の刻《とき》が一年ほど続いた。然し忘れもしない二十歳のとき、塩江の香東川の椛桜が咲く季節に突然春子との別離が待っていた。

その日は、椛桜の蕾《つぼみ》が膨らみ始める塩江町内の内場《ないば》ダムの池畔《ちはん》でデートし婚約をした日でもあった。春子が初めて薄化粧をしていた。今までのデートでは一度も化粧はしてなかった。口紅は薄紅色で瞼にも薄青のほのかなアイシャドーが引かれていた。

私が「春子さん綺麗になったね」というと春子は頬をうっすら染めて恥ずかしそう

に照れた。本当に地味で控えめな化粧であったが春子が化粧したことに、私は軽く新鮮な驚きを感じた。

　月光の下で見た幻想的な春子とは、また違う新たな春子を発見したのだった。春子の淡いピンク色のワンピースは、ダム池畔の蕾の桜とよく似ていて似合い清楚で美しかった。池畔を散策中、初めて私と春子は接吻をした。そして歩きながら木陰に入ると何回も抱き合った。こんなことは初めてであった。春子の喉奥に芽生えたばかりのような土筆の舌があり、その恥ずかしそうな舌を吸い取るようにして絡めた。

　塩江を離れるバス停で「春子さん私と結婚して」というと春子はこっくりとうなづきポッと頬を染め桜蕾のように恥ずかしそうに微笑んだ。私はもう有頂天となり大阪に帰った。

　その数日後、春子から手紙があった。

「・・・五郎さん、ごめんなさい結婚は出来ません。私は遠いところに行きます・・・・・私のことは忘れて下さい・・・春子」

　と書かれていた。

　その手紙の書かれた内容をみて私は、天地がひっくり返るほどの衝撃を覚えた。

春子にいったい何があったのだろうか。私達はつい最近婚約したばかりなのに。春子に、その真意を聞こうにも春子の家に電話がなく、私はいても立っても春子のことを思い浮かべ、心が落ち着かず、会社に休暇届けを出して嵯峨野の春子の家に向かった。春子の不本意な気持ちを確かめたく、そして再度結婚を申し込むためだった。

私は焦る気持ちで嵯峨野の春子の家を訪ねたが家は留守で誰も居ない。近所の人に聞いても、誰も知らないという返事だった。

私は実家に帰ったが春子に何かあったのではと、その日は春子のことばかり思い慕り寝付かれなかった。翌日、早朝に再訪すると春子の兄、良夫が出てきて、私の顔を見るや否や土間口で、

「あんたが五郎さんか、春子は近々結婚する。今居ないので帰って欲しい」と声高で言った。

春子の手紙で「遠いところに行く」とは、結婚するという事だったのか。然し、私の気持ちは腑に落ちず、

「春子さんは、何処にいるのですか。会わせて欲しい。どうしても話がしたい」と言うと、

「春子は嫁に行くんだ。春子のことは忘れて欲しい」

と、さらに激声で一方的に言った。私は思わず、

「嘘だ、春子さんと私とは婚約をしていたんです」と言うと、

「悪かった申し訳ない兄として謝る」

と言い、その場で土下座して謝ってくれた。その言葉を聞くや否や、私はそこから脱兎の如く駆け出していた。無性に大粒な涙がポロポロと流れ落ちた。悔しくて惨めで、並木道の椛桜を激しく蹴って春子を心底呪った。

「バカ野郎、騙しやがって」

帰る道中、男泣きにないた。

道端に無造作に散らばっていた椛桜の花があざ笑っているように見え、さらに心を乱れさせた。春子は私の前から三年前にも黙って去り、また今度も握った白砂が、強風に吹かれてさらさらと飛び散っていくように消えていった。

・

あの屈辱の日から二十年経ち、私も四十歳になっていた。M電子工業に勤めながら夜学の関西大学に通い法学部を卒業した。そして三十歳のときに司法官試験に合格し

弁護士になった。弁護士を目差したのは、M電子という一流企業の工員であったが、工員という職種に居たくなかった、また、いつまでも人に使われている身分から脱出したかったからである。

医者になることは経済的に絶対に無理である。そんなことから金銭に負担がかからず稼げて、さらに人から尊敬される職業、裁判官・検事・弁護士になれる司法官試験に挑んだ。三士といって司法官試験・不動産鑑定士・公認会計士このどれかを取得すれば食べはずしがない。

私は司法官試験を目差して一心不乱に勉強合格し、躊躇せずに金銭の稼げる弁護士の道を歩んだ。

中学校を首席で卒業したが貧しさから進学できずに工員に甘んじていたが、チャンスが巡ってくれば絶対に大富豪になれるという変移な自負があった。

弁護士になり、経済的に余裕が出来た頃から、今までの貧しかった反動から夜の巷で連日狂ったように夜遊びし、女遍歴を繰り返すようになっていった。京都の祇園、大阪の北新地、南の花街で散財。弁護士というだけでよく持て女達が群がってきた。今までに、工員というだけで鼻にも掛けられなかった美女を、金の力で次々と口説き落とした。春子に理不尽に振られた反動も作用し、女達をいつか見返してやりたいという、勝手気ままな不純な動機から弁護士を目差した事が報われた気持ちだった。稼いだ金は夜の蝶に貢ぎ吸われていった。吸われたことを惜しいとはおもわず、ますます女道楽に磨きがかかった。

あの屈辱的な春子と別れた日から恋愛恐怖症になり、どんな美女と恋愛を重ねてもうまくゆかず、ますます女性不審に陥っていった。それほど春子から受けた試練は大きく歪んだものとなり、自虐的で鬱積した日々を重ねていた。そんなある日、行きつけの北新地のクラブで春美という女給《ホステス》と知り合った。

「先生、今度入った春美さん」ママからそんな紹介をされた。

春美という春子によく似た名に惹かれ、すぐさま口説き落とした。私の口説きは即決であった。どんな娘でも口説くには数回も通わなければならない。そのための時間と金がかかるが、最初からその遊び分だけにかかる費用の大金を、ドレスの前に開かれた胸の谷間に放り込んだ。大金を握らせば大体の娘は横になった。

春美は、春子の春という字の名前に惹かれただけの、ほんのちょっとした遊びのつもりであった。然し遊びといってベッドを重ねているうちに情が移り、同棲する仲となったのである。

「あら先生にしては珍しいわね、タイプだったの」

とママはいった。

今までどんなに遊んでも同棲はしなかった。何の取り得も無い平凡な春美に惹かれたのをママは不思議がった。ホステスは、何となく平凡なおかめ顔というか下膨れ顔が売りになる。それだと客が安心して冗談が言え、日頃のストレスが発散できるのである。ナンバーワン、ホステスはいたって平凡な顔立ちの女《ひと》が多い。

それに引き換え春美は下がり眼の何となく寂しい顔立ちであった。然し何より春美に惹かれたのは春美という春がついた名前であり、春美も何となく顔立ちが春子に似ていた。眼に憂いがあり、ふっと、うつむいた時に見せる哀顔になんともいえない一抹の儚《はかな》げさがあった。私はそこが気に入っていた。

「先生には悪いけどあの娘、もう辞めてもらおうと思っているの」

「何故なんだい」

「あの娘《こ》の顔暗いのよ。あの顔は水商売には向かないわ、それに売り上げが伸びないの」

ママのその言葉をきいて、私は春美と同棲をする気になった。そして擬似春子と思い同棲したのだった。

私は早速、大阪駅の近くでマンションを購入し、春美と何となく同棲をはじめた。春美は優しく、かしずいてくれ、その場にいるだけで穏かになり楽しく、同棲したことを心より喜んだ。春美がうつむいて微笑むといやがうえにも春子を思い出させ春子と思って情交した。然し、いつしか抱いた春美の身体は何となく、私を拒否しているのではないだろうかという心情が伝わってきていた。どこか春美の身体に虚無感があり、拒んでいるようで燃えないのである。

私は、春美と同棲するまでゆうに数百人を越すであろうホステスと濃密な夜を重ねてきた。その秘事からわかる肌身で察した。春子と面影が似ていたことからはじめた擬似同棲であったが同棲したのは春美だけで、それほど気に入っていた。然し、私の春子を思慕する気持ちが以心伝心し、心あらずと写っていたのであろうか。

同棲してひと月後に春美は、置手紙の一つもを置いていくわけでもなく、黙って出奔して行った。私は心の中でいつ出て行っても良い思っていた。何となく春子と同じように春美も出て行くのではないか。そういう冷めた心情が常に胸の隅にあった。然し、たった一言の断わりもなく出て行ったとなると怒りが込み上げてくるのだった。あの藤澤春子もそうであった。黙って私のところから去って行った。ほんの一言いって出て行ったのならすべて許していただろう。

私は春美が勤めたときの店の前金等すべて払い、その合意のうえで同棲に入った擬似とはいえ、真剣であった。

私はこのことを決して許さなかった。店のママから春美の履歴書を取り寄せ弁護士の職権を駆使して春美を調査した。春美は、本名を中山春子といい、源氏命は春美で、何という事か名前が藤澤春子と同じ春子であった。そのことに私の怒りが弥が上にも爆発を誘い怒髪天となった。春美じゃなく春子、あの春子だと。

いつも私の前から突然に姿を消す女、春子。

私は春美、いや春子のいる兵庫県尼崎市に向かった。調べた住所には自転車店があった。

目的地の自転車店を近くの交差点から見ると、そこに若い男女が作業服をきて和やかに談笑していた。見ると女は春美に間違いない。どうやら春美はこの若い男と所帯を持っている風であった。私の心はこの二人の幸せを壊してやろうと鬼の心が動い

た。旅行者を装い、猫が獲物を取るときのような忍び足ですり寄り、

「あの、すみませんが、この付近に春美という喫茶店を知りませんか」

と悪意にみちた猫なで声でいった。

そんな意地悪な意図を知らない夫らしき若い男が、

「ええー、この近くにはそんな喫茶店はないですよ」と無邪気にいった。

傍らにいた春美は明らかに狼狽した様子で、みるみる顔が蒼ざめた。

翌日の昼頃、エプロン姿のままの春美が慌しく私のマンションを訪ねてきた。今か遅しと待っていた私の眼の前で、春美は来るなり玄関口でひざまずき土下座をして許しを乞うた。

「先生、許してください。申し訳ありません、お金はきっとお返しします」

「何が申し訳ないだと、君のやったことは詐欺じゃないか。絶対に許さない」

「先生、許して下さい。私やっと結婚したんです」

「何、結婚だって、笑わせるな。君はいつか私と結婚するんじゃなかったのか。私は真剣だったんだ」

私は、春美の結婚という言葉を聞いてますます感情が爆発した。あの二人の幸せそ

うな談笑をみて、家庭を壊してやる。私から盗るだけとって幸せになるのだと。怒髪天となり、春美の髪を無造作につかみ引きずり倒しベッドに乗せた。春美の身体はブルブルと震えていた。

「おい春美、いや春子裸になれ」

「先生それだけは許して下さい」

「なにが許してくれだと。はやく裸になれ」と大声を発した。

春美は泣きくずれ躊躇しながらも裸になっていったが、最後の秘事を包む一枚を脱ごうとしなかった。その一枚は、白色のショーツであった。同棲したときは、色街で流行りだしたピンクのTバックを着用していた。白色のショーツは、家庭の主婦に収まっているのだ。これを見て私は、春美の幸せな家庭を壊してやろうと悪意が芽生えた。夫の許に帰してやるものか。貶めてやる。

「何を恥ずかしがっているんだ。君も夜の蝶で生きた女だろう、はやく取れ」

私の威嚇に、春美は観念したのか、まな板の鯉のように横たわり、渋々しながら一枚をとった。騙した男の生贄になるのだ。幸せな家庭を壊してやる。そのとき泣き崩れる春美の涙顔を見ていると身体が萎え、春美の顔が藤澤春子に見え二重写しとなっていく。

「先生許して、許してください・・・・・先生はいつか私を捨てると思ってました。私のような何の取りえもない女に何故先生は、先生の好きな女《ひと》、誰かの身代りですか、私分かったんです。先生には心に秘めた好きな女が。私も一生懸命に先生のお嫁さんになろうとしました。決して嘘ではありません。今の夫を裏切ってでも、そう思いました。でも先生には私が絶対に入れない胸中に・・・好きな女が・・・私分かるんです。私はいつか捨てられる・・・」

春美からそう云われると、私は返す言葉もなく、言葉に窮し黙った。

「許して下さい先生、騙すつもりはありませんでした。いつかお金はお返ししようと思っていました」

「もういい、君の話は全部嘘だ。それが証拠に自分の物は全部持ち出しているじゃないか、それに君の本名は春子だろ、それに君は学歴詐称もしている。君は高卒でなにがK女子大生だ」

そう言うと、春美は泣き崩れながら、

「先生でもこれだけは信じて下さい。ホステスのとき身を委ねたのは先生だけなんです」

春美は、ベットに伏せたま、同じ台詞を何度も言い回し、ホステスの常套手段である涙を武器にした。

この期に及んで、まだ嘘を重ねる春美に、

「私は弁護士だ。そんな空涙に騙されない。おいもう猿芝居はやめろ、私に抱かれるとき、何故お金が必要だったんだ。その理由を言わなければ君を解放しないよ」

「先生それは堪忍して下さい」

「言わなければいいよ。今からでも君の店にいって」

「先生あの人だけには言わないで下さい。お願いです。言わないと約束して下さい。言いますので、それで堪忍して下さい。あの人と私は福井の美浜で高校の同級生なんです。一緒に大阪に来ました。あの人が尼崎の自動車修理工場で、私は小さな会社の事務員として働きました。将来小さな自動車修理工場を持とうって一生懸命に働いていたのです。あの人が自転車屋さんが廃業する店舗をたまたま知り、手始めに自転車屋さんから出発しようとしたのですが貯めていたお金では足りず、私が夜のアルバイトをして助けようと思ったのです。ママからこの世界は自由恋愛だけど身持ちはきれいにしなさいって言われていたんです。きれいごとだけではすまされない、その覚悟もいると聞かされました。お店に入ってすぐに先生から大金を頂きました。私は大喜びし天の助けと思いました。その店の手付けに百万必要だったのです。私はすぐにあのお金をあの人に持って行き、あの店の手付けにしたのです。二人して大変喜びました。先生本当に申し訳ありません」

「それでは、私は君に利用されたのか。君は私を利用したんだね。その金は君を口説いたお金だよ。それはもういいよ。でも君はそれ以外に私のお金を黙って持ち逃げしたね。それは返してもらうよ」

「先生、許して下さい、私には、今お金がないんです許して下さい。いつか絶対にお返しします。・・・でも先生に見初められ先生と暮らしはじめたときは楽しかったんです。あの人とは別れて、本当にお嫁さんになるつもりでした。でも先生はいつも遠くの女性を見ているという感じがしたのです。抱かれていて、いつもそう感じたんです。先生には秘めた女《ひと》がいるって」

そういうと、春美はまたベットに伏して泣きじゃくり赦しを乞うた。なんて奴だ、泣く春美を見て段々と怒りが増してくるのであったが、その涙顔に藤澤春子の哀しそうな哀顔が重なった。

「おい、もう帰れ。私の前にはこれから絶対に顔を出すな」

・

春美の帰った後の部屋は虚無感が漂い、ベットのソファに残存を残すように泣いた涙跡と数本の長い髪の毛が散乱していた。そのベットの片隅に春美の置き忘れたブレスレットが無造作に残されていた。そのブレスレットを見たとき憤怒の怒りが再度込み上げ、怒りにまかせてブレスレットをおもいっきり机に叩きつけた。その弾かれた玉がまるで嘲笑うようにパラパラと床板に砕け散っていった。自分にかかわる女は、皆あの玉のように去っていくんだ。そう思うと、ことさらに怒りが込み上げ爆発、部屋中の家具を八つ当たりするように椅子で叩き壊し、その割られた食器、ずたずたに破られた本が瞬く間に、部屋中に散乱していった。

・

怒りが冷めるまでマンションに戻らず、弁護士事務所で寝起きした。数ヶ月経った頃、マンションの管理人から事務連絡の電話がありマンションに帰った。自宅の連絡箱には新聞・雑誌類が無造作にねじ込まれ、その厚い雑物の中に目を通すと数年ぶりで通信してきた塩江小・中学校の同窓会名簿も入れられていた。すぐ憎い藤澤春子を思い出し眼に入った同窓会名簿に不快感を持った。春子を忌避しようとしているのに、同窓会名簿は春子のことを否応無しに思い出させるのだ。その同窓会名簿を手に取るや否やおもいっきりゴミ箱に投げ込んだ。同窓会は不定期的に行われたが、春子のことが癪の種でいつも返書には欠席と記して出していた。

ベッドに寝転びウィスキーを煽ったが、いつしか眼はベットの片隅に置かれていたゴミ箱に眼が注がれていった。あの同窓会名簿の中に春子の消息が入っている。自分から離れて行った女じゃないか。眼を瞑ると、蒼い月光の下の春子の古風な幻想的な顔を思い出す。今どうしているのだろうか。自分から去って行った春子。そんな春子を想えば思うほど気が滅入り心が晴れない。こんなときにも春子を想う。春子のことを気にかけている情けない自分がいる。春子との別れからもう二十年も経ったのに、今更まだ想う。そのとき数年ぶりできた同窓会名簿のなかの春子の消息が妙に気になった。

酒酔いのベットからよろよろと立ち上がって、ゴミ箱から同窓会名簿を取り上げ封を開き無造作に頁を繰り開げてみていると、藤澤春子、「ご逝去」となっているところで眼が釘付けとなった。酔いが一変に醒めた。何だ、なんだこれは春子が死んでいる。嘘だ、春子は結婚しているはずだ。

眼をこすり、眼を皿にして見てもご逝去と記されているではないか。何かの間違いではないのか。他の女子は名前の下の（　　　）欄の中に旧氏名が記載されているのに、春子にはそれもなかった。それは結婚して無いということではないのか。春子の兄は確かに春子は結婚するといった。それを聞いて私は春子との結婚を諦めたのに、疑問は深まるばかりであった。

私はすぐ、深夜近くであったが、同窓会名簿の中の高松市に居る中学時代の親友、藤澤真一に電話した。

「なんや、こんな時間に、誰かと思ったが五郎かいな。ほんま久しぶりやな。お前とは卒業して一度も会ってないが、元気にしとったんか。お前一度も同窓会に来とらんけど、どないしょったんや」

真一はけだるそうな声で、それでも私からの突然の電話に喜こんだ。私が話しの途中で何気なく藤澤春子のことを話すと、

「なんや藤澤春子って、だれなんや春子って」

「いや、塩江中学校の同級生の藤澤春子さんや。春子さんと私は就職で同じ大阪の高槻に一緒に行ったんや、今来た中学生の同窓会名簿で春子さんが死んでいるのを知ったんや」

「お前は優秀で学校を首席で出たやろ、皆お前は知っているが、目立たない女の子は分からんわ。・・そうか、椛川分校から来た大人しい女の子がいたな。藤澤春子ってあの目立たん子か、あの子かいな、そうかお前と一緒に出ていったんか。そうか、それは知らなんだ。・・・そうや春子っていう女の子のことで、そうやそうや思い出したわ。その女の子のことで山上がお前のこと怒っとったぞ、春子が可愛そうやいうて、お前何か春子に悪いことしたんか。お前のような優秀な者《もん》と目立たん春子とは似合わんと思うが、でも男と女の仲は分からんからな」

「馬鹿なこというな。それになんで山上が私に怒ってるんや」

「同窓会でお前のこと怒っとったぞ。山上と春子は仲が良かったらしい、山上も、お前と一緒の大阪にいるんで電話かけたらどうや、山上なら春子が死んだこと知ってるかも知れん同窓会名簿に電話番号書いてあるので電話しいな。それはそうと今度の同窓会には帰ってこいよ。お前、一度も来てへんからな、絶対に帰ってこいよ。お前は勉強が良くできて、男前やそれに女子どもが心配しとったぞ、お前は女子に人気があったからな。アッそれと忘れていたけんどお前、弁護士になったんやってな。すごいな皆驚いとったぞ、寛斉先生もあいつはきっと大物になるって言ってたけど、誰に聞いたかって山上や」

真一とは、あれこれ積もる四方山話をして電話を切った。

藤澤真一の話しでは、山上が春子のことを知っていると言い、また私が弁護士になったことも知っていた。私は誰にも春子のことは知らせず、自分の胸のうちに閉まっていた。弁護士になったことは父母にのみ知らせたが、他は誰にも知らせていなかった。そのことを何故、山上が知っているのか。狐につままれるような話に、私は矢も盾もたまらず、それらの詳細を知るため深夜にもかかわらず山上に電話した。

「もしもし山上ですけど、何々塩江中学の同級生だった藤澤五郎って、ああーッ、五郎さんか、あの優秀な五郎さんか、劣等生の俺に何の用やねん。それにこんな深夜に、何か重要な事があったのかいな。何々春ちゃんのことを聞きたいって何や今更、春ちゃんは死んでもう〜〜ん何年、いや二十年にもなるわ」

私は驚き、思わず動揺し電話を落とすところであった。

「ええー、もう二十年にもなるって、結婚してたんじゃなかったのか」

「そんなこと聞いたことないわ」

「春ちゃんが死んだのは確か成人式の年やった。昭和四十三年の四月十五日や、高松の日赤病院で亡くなったわ。五郎さん葬式に来なかったな。付き合っていたのに薄情やな」

「付き合っていた。なんでそんなこと知っているんだ。付き合っていたってちょっとの間や、でも本当に死んだのは知らなかったんだ。それに山上君は春子さんの命日を何で知っているんだ」

私がそう言うと山上の声のトーンがきつくなっていった。

「五郎さん、あんたはやはり優秀や、今更そんなことというてしらばくれるんじゃないよ」

「いや、私は本当に知らなかったんだ」

「そうか。そんなこと、今更もうどうでもええわ。春ちゃんは腎臓病でなくなったんや」

「腎臓病って」

「そうや腎臓病や、春ちゃんはいつも蒼白い顔をしていただろう。でも今更そんなこと聞いてどうすんねん、もうええやないか、それより五郎さん弁護士になったんやろ」

「なんで知っているんだ」

「五郎さんはやっぱり優秀や、寛斉先生が言っていた。あいつは高松高校から東大でもいける男だって、五郎さんも俺も貧乏な家で育ったが五郎さんは勉強が良くできて弁護士になったんやすごいな。俺も五郎さんも同じように田舎から出てきて俺は今じゃしがないガードマンや。五郎さんは知らないが俺、五郎さんをタクシーで送ったことがあったんや、ガードマンの前にタクシーの運転手をしていたことがあって、そのとき五郎さんが北新地からホステス二、三人を乗せて走らせた。持ててたな。俺はすぐ五郎さんと分かったよ。そのとき深く帽子を被ったよ、惨めたらしくてな」

「そうか、そんなことがあったのか。でもそれは商売で、私は女性にそんなに持てないよ」

「アホなこというなよ。五郎さんあんたは女の子に良く持てるよ。でもそんなに持てる五郎さんが何故、春ちゃんと付き合ったんだ。五郎さんと春ちゃんとは似合わないよ。五郎さんは優等生だろう。でも春ちゃんはごく普通の女の子だ。五郎さんはもっと高級な賢い女の子と付き合わんといかんわ。春ちゃんは俺のような男が一番ええんや。五郎さんと春ちゃんが付き合っていると分かったとき俺は五郎さんがすぐ春ちゃんを捨てると思っていた。やっぱりそうだった。そのあと俺は春ちゃんと付き合おうと思っていたんや。でも死んでしまって、パーになった」

「山上君、そんなことないよ私も春子さんに好意を持っていたんだ。山上君、春ちゃん、春ちゃんてそんなに深く付き合っていたのか」

「付き合っていたって、俺と春ちゃんは幼馴染で、椛川分校から小学校一年のときから隣の席が春ちゃんだった。春ちゃんとはウマがあってよく話しをする仲やった。五郎さんと春ちゃんは高槻に就職しただろう。俺は高槻の隣の茨木市のT製罐に就職したんや。塩江から一緒に来たんや。五郎さんはそんなことも忘れていたんか。高槻と茨木は隣の市だから、春ちゃんによく電話したんや。そのとき春ちゃんが五郎さんと付き合っていると聞いてとても寂しかったわ。でも春ちゃんと五郎さんとではすぐに破局を迎えると思っていた。そのとおりだった。でも五郎さん何故、春ちゃんを好きになったんだ。五郎さんのような賢い人が、他に女の子は何ぼでもおったやろ」

「いや、いないよ春子さんは特別な女《ひと》だよ」

「特別な女だって、五郎さんそれはどういうことや」

「山上君が春子さんのこと想っていたことを初めて知ったよ。でも私も春子さんが好きだったんだ」

「俺も春ちゃんが好きだったんや、五郎さんあのことを言っているのか」

「あのことって」

「今、分かったよ、五郎さんもあの魅力に取り付かれたんだな。そうか、そうだったんか分かったよ、五郎さんも分かったんだな。五郎さんはやはり優秀や、春ちゃんは、ふっと、ほんまに違う顔を見せるときがあるんだ。そのときの顔は学のない俺でも分かる、雅っていうか高貴な顔になるんだ」

五郎の想い

私は山上との電話内容で春子が亡くなったことを知り、電話を切った後、しばらく放心状態だった。あの春子が死んでいた。その事実にうちひしがれた。

その晩、私は春子のことを思って泣き嘆き悲しみの涙にひたり、在りし日の俤《おもかげ》を追った。月光のなかでみた幻想的で気品漂う顔、内場池畔でみせたあのはかなげな微笑みが、走馬灯の幻影のように繰り返され過ぎ去っていった。

私は山上と話しをするまで春子は、私だけのものだという自負があった。然し、山上も春子を思慕していた。そして山上のいう「あの魅力」という春子から生じる月光の中の気品な顔を自分以外に山上も知っていたことに強い衝撃をうけた。

春子と山上は幼馴染であり、小中学と一緒に通学していたそのことにも一種の羨ましさを覚えた。春子はそんなことは一切何も語らなかったし話題にもしなかった。そのことは何か春子に背《そむ》かれたような、裏切られたような一抹の寂しさを感じさせた。春子は私より山上に心を開いていたのであろうか、・・・春子は、私と接吻し、私の胸に顔を埋めた。結婚を申し込むと、はにかむように微笑し、こっくりとうなづいてくれた。あれは絶対に春子の本心であったに違いない。

私が最後に春子の実家を訪ねたのは昭和四十三年三月の終わりか、四月の二、三日だった、あのとき兄は、確かに春子は結婚すると言った。でも同窓会名簿では誰とも結婚してなく、その同月の十五日に春子は腎臓病で亡くなっている。

私は翌日、数々の疑念を抱きながら、二十年ぶりに春子の実家、椛川の嵯峨野に向かった。もう二度とこの地に足を踏むことはないと思っていた。それはあの日の惨めな過去を思うと悔しさと虚しさで一杯になり行きたくなかったからである。然し、山上との電話が切っ掛けで、再び春子への思慕をつのらせた。またそれ以上に、春子と別れたあの日の真実が知りたかった。

春子の家に電話すると母親は健在であった。亡き春子の仏前に御供えしたい旨を伝えて翌日に出発した。二十年前には春子の家には電話がなく、春子と会うための通信手段は手紙であった。春子とデートのときは夜行の連絡船に乗り一昼夜かかった。今とは隔世の違いで、それほど大阪は遠いところであった。然し遠距離交際であった分、春子と会えたときの喜びは望外であった。

今は始発の新幹線で出発し、岡山で特急電車に乗り継ぎ三時間程で高松に着く。高松駅からタクシーに乗り、昼前には椛川の嵯峨野に着いていた。思えば交通機関は、私と春子の過去の感傷を吹き飛ばすような格段の発達をとげていた。然し、私の春子との想い出時計は二十年前で止まっていた。

二十年振りに春子の生家の苔むした藁葺き屋根の下に立った。苔むした屋根、障子から醸し出す風情が懐かしく感じられた。庭には春子との想いを懐かしむように満開の椛桜の花が満開であった。春子の母親に来訪を告げると、私を待っていたかのように優しく微笑み静かに迎え入れてくれた。

私が集団就職で十五歳のときに塩江を出発するとき、琴電バス停で春子の母親は優しい笑顔で見送ってくれた。いざバスが離れるとき春子の母親は、

「五郎さん、春子をよろしくお願いします、お願いします」

といって何回も頭を下げポロポロと涙を流した。遠ざかっていくモンペ姿の母親の姿が目をつむれば蘇ってくる。今でも私が春子に執着をしたのは、今おもえば、この母親の言葉もあったのかも知れない。

〔お願いします、お願いします〕

そのとき私は高慢ちきに上から目線で春子の保護者のような気持ちになっていたに違いない。だから山上が、お前のような奴が何故、春子と付き合うのかと言われたとき一瞬応えに窮した。何故もっと早く春子の病状に気付かなかったのか、気付いてやれなかったのか思えば春子は大阪にきた頃より腎臓病を患っていたのかも知れない。あの頃より蒼白い顔であった。そのことに早く気付くべきであったと思う。でも私と春子は短いけれども共有の時間を過ごした。最後の最後春子は病を押して内場池の池

畔で私とのデートに付き合ってくれ、そのとき接吻し婚約した。私を愛していればこそだ。

私は春子と付き合っているうちに控えめで素朴な温かさに惹かれていった。何よりも春子といれば安らぎがあった。そしてあの蒼白い月の夜の満開の椛桜の下で見た春子は息を呑むほど美しかった。あの月夜の神秘的想い出は春子が私に残してくれた永遠の贈り物だと思う。

私の母親は大阪に旅立つ日、見送ってくれなかった。農作業が忙しく致し方ないと思ったが寂しさが身に付きまとった。あの別れを思うと春子の母親を思い出す。母親も春子も泣いていた。私に「春子を、春子を・・・」

春子の家の小さな仏壇の机の上に春子の写真が飾られていた。ショートカットの懐かしい写真だった。めくるめく走馬灯のように春子との想い出が蘇ってくる。眼頭が熱くなりしばし眼を閉じた。

「五郎さん、お茶をどうぞ」

母親の声で我にかえった。お茶を飲みながらしばし春子をしのぶ中に母親から意外な真実が告げられた。

「確かに春子と五郎さんとは交際していたのは知っていました。春子はとても喜んでいました。内場池で結婚を申し込まれたって、それは、それはとても喜んでいました。然しそのときはもう病気の末期だったんです。無理して内場池に行ったんです。腎臓病で春子は自分がもうすぐ死ぬと思い覚悟を決めて行ったようです。春子は五郎さんが大好きでした。春子は五郎さんに迷惑がかかってはいけないと思い、遠くへ行くといって五郎さんにお別れしたんだと思います。五郎さんに春子は早く自分のことを忘れてもらうために、結婚したといえば、五郎さんも踏ん切りがつくと思って兄の良夫にもそう言ってもらうように頼んだんです。春子とはそんな心根の優しい子でした。今思えば五郎さんに病気のことを伝えなかった春子は悪いと思います。でもあれは、春子の優しさと思って許してやって下さい。最後の春子の我儘《わがまま》と思って許してやって下さい。死ぬ数日間はあの子は本当に幸せだったと思います。五郎さんも春子のことを思い結婚していないのですね」

母親はそういうと、堪えきれずに号泣した。

私は年老いた小さな母親の背中を優しくなでながら、私はそんなことを露知らず自分こそ薄情な男だと涙がとめどなく流れ落ちた。

「ずーっと気になっていたのですが、春子の死んだことを知らせなくて、そのままに・・・知らせなくて、ごめんなさい、ごめんなさい・・・五郎さんには知らせませんでしたのに、それなのにいつもお彼岸に春子のお墓にお花を供えてもらって・・・」

泣いて謝る春子の母親を責める気はしなかった。そのことよりも、春子のお墓にいつも花を供えていることを知らされたことのショックが大きかった。

私は春子のお墓の場所を知らない。それなのに自分ではないと素直に言えなかった。多分、山上が、この二十年間黙って供えに来ていたのであろう。

山上も春子を好きだったんだ。でも私もそれ以上に春子が好きだ。春子への慕情は変わらない。山上には悪いが春子の微笑み、あれは私だけに見せた微笑で、私を愛してくれていたものと思う。そう思いたい。いや絶対に私を愛していた。最後に手紙をもらったのも私だけだ。

あのときの手紙は、今思えば乱れた字であった。

「・・・私は遠いところに行きます・・・私のことは忘れて下さい・・・」

春子は私をあきらめさせるために手紙を書いたのだろう。その手紙は春子から私への最愛の恋文《ラブレター》だ。

「私は病気で余命いくばくもありません・・・」

と綴った文をもらっていた方が心の踏ん切りがついたと思う。

春子は私の心がいつまでも春子に残ることを心配しての心使いをしてくれたのであろう。私を愛していればこそだ。それが春子の優しさだ。でもその優しさがいつまでも私の心像に残り、反対に忘れられなくなる。その病状のことを素直に書いてくれていたほうがむしろ吹っ切れ、新しい人生が開かれたかも知れない。今遅まきながら春子の死の真相を知った。そのことの方が余程残酷である。春子は私に何を残したかったのか。いつか春子が言ったことがある。

「五郎さん、こんな話があるの、源平合戦で、屋島の合戦で負けた平家は安徳天皇を御護りして小蓑《こみの》に逃げ、さらに嵯峨野まで逃げてきて、そこから西国に行ったんだって。皆一緒に行くことは足手まといとなるので一部の人は嵯峨野に残ったんだって。そのとき安徳天皇を護衛していた平椛者《かばじゃ》という若者と、一緒に逃げてきたさがという女官とは仲良くなっていたの、でも椛者は安徳天皇を御護りする若者でしょ。泣くなく椛者はさがと別れ旅立ったんだって。でも生きていれば絶対に帰ってくると約束して椛者は行ったんだって。数年後に椛者は約束どうり帰ってきたんだけど、そのときさがは亡くなっていたんだって、亡くなった場所から椛桜が生えたんですって」

さがに心残りして去って行った椛者。椛者はさがとのことを忘れず壇ノ浦で平家の滅亡後も生き延び旅の僧となって嵯峨野まで帰ってきた。そのときさがはすでに亡くなって椛桜となっていた。さがは椛の桜となって椛者を迎えたのであった。椛者はさがをしのびいつまでも椛桜を見守ったという。

春子と京都の嵯峨野を歩いたことがあった。あのとき春子が、

「五郎さん、ここを歩いたことをいつか思い出してね」

と言ったことがある。そのとき私は笑いながら「嗚呼ー」と言った。今思えば靄然《あいぜん》な言葉だったと思う。春子の想いの言葉は私の心をいつまでも縛っていく。

春子の血の中には風雅な平家の諸行無常の雅が流れているのだろう。後を振り向き心残るように去って行った春子、その日より私は益々春子を想い慕うようになっていった。

私は本当に馬鹿だった。あのときもっと春子の心情を汲むべきだったのに、何故気がつかなかったのだろう。春子は病魔と闘っていたんだ。いよいよ自分に生がないと

悟ったとき、私と永遠の別れをしたんだ。『遠いところに行く』と手紙にしたためて。私は春子の気持ちに寄り添う考えに至らなかった。今更ながら私は自分の至らなさに、自分をいつまでも責め続けるだろう。春子さん貴女の真心は私の心に生きています。そして春子さんを永遠に愛し続けます。

山上三郎の想い

山上三郎は五郎からの電話が切れると腹だたしい気持ちであった。春子にいたく同情していた。

春ちゃん可哀そうに、五郎のやつ今頃になって春ちゃんを思い出したんだな。春ちゃんを捨てておきながら、勉強のできる優秀な奴はあんなもんだ、根は冷たいんだ。でも春ちゃんの気持ちとすれば俺より五郎を想っていたと思う。五郎は断トツに勉強が出来たもんなぁ。五郎と俺とじゃ月とスッポンの違いがある。五郎が分限者《ぶげんしゃ》〔大金持ち〕の家に生まれていれば高校、大学。高校だと一番優秀な高松高校、そして大学も一流の国立大学に入ったと思う。五郎の家も俺の家も貧乏で同じように集団就職で大阪に出てきた。だが五郎は俺と違って優秀なので日本一のM電子工業に就職した。そこに行けば高校までいける。五郎はそこに最優先で推薦された。もっとも五郎は中学を一番で卒業したからのご褒美でもあろう。

藤澤寛斉先生があいつはきっと大物になるって言っていた。もうそこから出発点が違っていたんだ。優秀な奴は皆から手を差し伸べられ優遇されるんだ。昭和三十八年の春に塩江から大阪に集団就職した。五郎は忘れているのだろうが、俺も一緒に大阪に来たんだ。五郎は秀才で勉強はできるが、人に関心を持たない奴だから俺がいたことは眼中なかったのだ。五郎と春ちゃんが国鉄・東海道京都線の上り京都行き電車に乗ったとき俺は一両車後に乗っていた。高槻の手前の茨木に就職するT製罐であったので俺は先に降りた。本当は春ちゃんと一緒に行きたかった。春ちゃんとは小学校の分校、本校の中学校といつも隣席でまるで兄弟のようだった。学校の行き帰りも一緒であった。就職のときも一緒に大阪に行こうと約束もしていた。

思えば田舎の琴電塩江バス停で、春ちゃんを先に路線バスに乗せ、次に俺が乗ろうとしたとき、急に横から五郎が割り込んできて、あれよあれよという間に春ちゃんの横の席に座った。俺はムカッとしたが、五郎に席を替わってくれとどうしても言えなかった。五郎は勉強が断トツに出来たことから俺は劣等感を持っていたのだ。そのときどうしても春ちゃんの隣の席に座れなかった。今、考えてみればあの日が運命の分かれ道であったのかも知れない。でも何故、五郎は春ちゃんを好きになったんだ。五郎はズバ抜けて優秀であったのに、バスが出発するとき五郎は後輩の何人かの女子から小さな花束を受け取っていた。中には涙ぐむ女子もいた。そんなに持てる五郎がなぜ春ちゃんでなければならなかったのか。何故なんだ。春ちゃんは本当に目立たない普通の女の子なのに。

俺はT製罐に就職後、昭和四十九年の第一次石油ショックでリストラされ、大阪市でタクシーの運転手になり、その後はガードマンとして働いた。タクシー運転手のときにたまたま五郎を乗せたことがあった。ホステスを三人乗せよい羽振りであった。ホステスの「藤澤先生、藤澤先生」という珍しい名前からバックミラーを覗き見したところ五郎であることが分かった。そのときの話内容から五郎が弁護士になったことを知った。五郎はやっぱり優秀だったんだ。俺は帽子を深く被った。かたや弁護士かたや日給月給のタクシー運転手。塩江から一緒に大阪にきて早くも大きく差をつけられたように思った。その日は大阪に来て一番、惨めに感じた日であった。同級生であれば本当は弁護士になった事を祝福してやらなければならないだろう。だがそんな気はさらさら起こらなかった。

五郎は春ちゃんを捨てた冷たい男だ。女にかしずかれていい気なもんだ。春ちゃんもあんな男と一緒になっても幸せにはなれない。そんなことを分っていても女はそんな男に惚れる。真面目な女ほどそんな男に惹かれていく。でも春ちゃんは違う。最後の最後で俺を選んでくれた。春ちゃんと俺は小学校の椛川分校、中学校九年間も一緒に勉強し、通学も一緒だった。春の桜の下でのままごと遊び、夏には椛川で川遊び、秋の紅葉刈り、冬の雪合戦いつもいつも一緒だった。春ちゃんとは幼馴染で気心が知れていた。だから春ちゃんは気兼ねなく五郎と付き合っていたことを俺に話した。俺はそのことを羨んだが、春ちゃんの幸せを願い身を引いた。でも俺もやっぱり春ちゃんが好きで、月に数回春ちゃんを呼び出しデートというか近況を語り合ったんだ。映画も喫茶店にも行った。

それに五郎には悪いが春ちゃんに一番先にキスしたのは俺なんだ。春ちゃんをデートに誘いK紡績化粧品の女子寮に送って行ったとき、女子寮の近くに京都大学の農学部の農場があるんだ、その道はポプラ並木になっていてまるで北海道の草原のようなんだ。その日は満月だった。その中で見た春ちゃんの顔はすっごく綺麗なんだ。なんちゅうのかほんまに高貴で天女のように見えた。思わず俺、春ちゃんーといって抱きついた。そのとき不純であったが、絶対に春ちゃんを五郎に渡したくないと思った。そしてキスしたんだ。そうすると春ちゃんがポロポロと大粒の涙を零した。それで俺、春ちゃん好きだーって大声で叫び走って帰った・・・走りながら俺も泣いていた。

その後、すぐに春ちゃんは塩江に帰ったんだ。お父さんが病気で帰ると言ったが、俺が春ちゃんにあんなことをしたことかも知れない。

俺はすぐ塩江に謝りに帰った。そして春ちゃんの臨時で勤めていた農協にいつも電話をしていた。俺が電話すると春ちゃんはいつも喜んでいた。電話口の向こうでも春ちゃんの喜びの声は感じるんだ。春ちゃんによれば、春ちゃんが塩江に帰った後、五郎からは一切連絡はないと言っていた。五郎は勉強は良く出来るが、根は薄情な男だ。いつか春ちゃんと五郎は破局を向かえると思っていたが、思っていた以上に早く訪れた。俺はそのことを心底喜び、これで春ちゃんと晴れて付き合えると歓迎した。ところが二年後にまた、五郎がのそのそと現れ、春ちゃんに言い寄ってきた。

それからまた、春ちゃんと付き合いが始まった。春ちゃんからそれを聞いたとき俺は嫌な気がした。また今度も春ちゃんは泣くだろう、そして今度も五郎は春ちゃんを捨てるだろうと思った。俺もしゃくだから春ちゃんに電話で俺もちょいちょい帰るよと言った。そうすると春ちゃんは「いいよ」って笑いながら言ったんだ。その笑い声は電話を通してだが本当に喜んでいた。

五郎は月に一度春ちゃんと会っていたので、俺もそれに習った。俺は春ちゃんが五郎とデートのとき困らないようにと思って洋服を持って帰った。春ちゃんはとても喜んでくれた。俺は小遣いを始末して、出来るだけ流行の洋服を買った。春ちゃんの似合うピンク系のワンピース、薄紫のスーツ、ブラウス、一流の阪急百貨店で買った。この服を着て五郎に会いに行くんだと思うと少し感傷的《センチメンタル》になったが、春ちゃんの喜ぶ顔を見るだけで、それで良かった。でも俺が帰るたびに春ちゃんの笑顔が心なしか少なくなっていった。

春ちゃんが何か隠しているのではと思った。そして俺は、春ちゃんに内緒で春ちゃん家《ち》に行った。俺と春ちゃんは幼馴染なので、春ちゃんのおばちゃんは気を許して本当の話をしてくれた。

春ちゃんが塩江に帰り、相前後して、春ちゃんのおっちゃんと同じような腎臓病となった。おばちゃんは、親子なので体質が似たのだろうって。徐々に病状が悪化して、今は高松日赤に入院していると言った。
俺はすぐ病院へ見舞いに行った。春ちゃんが死ぬ一週間前だった。春ちゃんは驚いたが、覚悟を決めていたのか病気のことを素直に俺に打ち明けてくれたんだ。春ちゃんは腎臓病で人工透析が手放せず、余命幾許もないときだった。春ちゃんが病を告白したとき俺はポロポロと涙を流した。そのとき俺は、意を決して「春ちゃん好きだ。春ちゃんお嫁に来てくれ」と言ったんだ。春ちゃんが本当に死ぬほど好きだった。そのとき俺は自分の作った詩を即興で口ずさんだ。

十五の旅立ち

〜〜♪　大阪に旅立つ十五の春ちゃんと僕に
春ちゃんの母さんが春子といって、ポロポロと涙を流した
バスの車窓から見ていた春ちゃんと僕は泣きました
春ちゃんの母さんの遠ざかっていくモンペ姿の小さな肩に
桜の花が舞っていたことを覚えています　♪　〜〜

と唄うと、春ちゃんは大泣きしたんだ。

俺も悲しくなって、「春ちゃん」といって、そっと抱きしめた。春ちゃんは俺の胸の中でずーっとずーっと泣いたんだ。そのとき春ちゃんとは心が通じ合った。五郎に悪いが春ちゃんと俺は、そのとき結婚の約束をしたんだ。春ちゃんが亡くなる前日にも俺は見舞いにいったんだ。昏睡状態で寝ていた春ちゃんの手をそっと握って俺、小さな声で「絶対に春ちゃん、幸せにするよ」と言ったんだ。そのとき春ちゃんの手が微かに動いた。

五郎は最後の最後、春ちゃん見舞うことはしなかった。

俺は五郎のこんな態度が許せない。俺だったら絶対に最後まで看取って純愛を捧げる。それが惚れた女に対する愛なんや。

でも俺も五郎のことを責めてばかりいられない。五郎はいまだに独身だ。春ちゃんを想って今も独身を貫いている。俺は結婚している。タクシーの運転手のときたまたま寄った飯屋に元T製罐の女子社員がいて暮らし向きに困っていた。聞けば離婚して二人の子供を連れて難儀していた。俺は深く同情しその子と一緒になり、女の子をもうけた。その子は春子と命名したんだ。こんな時代にそんな時代錯誤な名前だといって嫁はんは猛反対したが俺はきかなかった。今考えれば十坪程の小さいながらも我が家があり、三人の子供の父親となって貧しいながらも楽しく暮らしている。でも五郎は春ちゃんのことをいつまでも想って独身だ。俺は五郎のことを批判し悪口ばかりいっているが、これはどちらが薄情か判らない。薄情なのは俺の方かも知れないな。でも嫁はんには悪いが心の中ではいつも春ちゃんを想っている。いつまでも春ちゃんの面影が残り思慕している。

春子の兄、良夫の想い

あれは春子の亡くなる少し前だったと思う。五郎さんが血相をかえて家に来たんだ。俺は五郎さんにあまり良い感情を持っていなかった。春子を弄んだ男とばかり思っていた。というのも春子と近所の山上三郎は幼馴染で学校の行き帰り、いつも一緒だった。二人がいつもいることが普通で、見ていて何となく可愛いかった。二人は大人になるといつか一緒になるものとばかり思っていた。

親父の病気の看病するため春子が大阪から帰って来たが妙に元気がなく、俺は少し気になって、大阪に一緒に行った三郎に電話すると、五郎さんと付き合っていたという。俺は思わず「三郎、お前と付き合っていたのではないのか」と大声で言った。春子を好きなのに黙っている三郎の歯がゆさを叱った。そのとき春子と五郎さんが交際していたことを初めて知った。春子の元気のなさは、五郎さんとの間に何か男女の関係があったのではないかと邪推した。俺はてっきり三郎と付き合っていたものと思っていた。いつか二人で結婚しますと報告してくるのを心待ちし、春子を幸せにするのは三郎しかいないと思っていた。そんな感情があって、俺は五郎さんから来た数通の手紙を春子に渡さずに釜戸で焼却処分した。

春子が大阪から帰ってきて二年経った頃、また五郎さんと付き合うようになった。どんな経緯でそうなったのかは知らないが、腎臓を患っていた春子が少し元気になったので、それも良いと思っていた。然し春子が高松日赤病院に入院してから五郎さんは、一度も見舞いに来なかった。薄情で嫌な奴と感じた。それに引き換え三郎は見舞いに来て、お前のことを親身になって心配してくれた。

三郎は、俺に春子が亡くなった晩、通夜に、春子が亡くなる直前に結婚を申し込み承諾してくれたという話しをしてくれた。春子はもう居なくなる。そんな春子にプロポーズし純愛を捧げている。三郎は春子をほんまに好きだったんだ。それを聞いたとき俺は、三郎を思わず抱きしめ二人して大泣きに泣いた。俺は死んでいく春子より三郎が不憫であった。
然し春子は、その一方で五郎さんとも婚約していた。その事をお母はんから聞かされたときは驚いた。春子お前はいったい何を考えていたんだ。死ぬ前にそんな果たせもしない約束をして、死ぬ前に二人の男によい夢を見させようと思ったのか。お前の優しさは優しさと違うのではないか？

春子お前は二人の男に罪作りなことをしただけだ。二人とも自分の方が春子に愛されていると思っている。春子お前の気持ちほんまどうだったんだ。死んだ今となってはお前の気持ちは分からない。せめてもの救いは二人とも自分の方が愛されていると思って、そのことを一ミリたりとも疑っていない。真実一路だよ。

嗚呼ー、男って言う生き物はつまらないものだな。つくづくそう思う。男の方が純情可憐だ。春子お前はいったい何がしたかったんだ。ほんまに分からない。ほんま分からんな女の考えていることは。今も二人の男はお前との約束を真実の愛と信じている。お前の気持ちはほんまはどうだったんだ。死んだ後も、いつまでも自分を想って欲しいために婚約したのか。お前の考えていたことは分からない。何がしたかったのか俺には分からない。

俺は三郎と一緒になったほうが良いと思っていた。五郎さんは優秀な男だが、優秀故にいつかお前への愛情は冷めていったと思う。三郎はお前にどんなときもいつまでも寄り添って生きてくれる。また二人が月光の下で透き通るように蒼白くて、奥ゆかしい気品が漂っていたお前の顔に魅了され、お前を慕う気持ちが高揚したことを聞いた。

これは俺にも心当たりがある。俺の嫁はん、直子は大阪の天王寺日赤の看護婦長をしていたんだ。俺は大阪で出稼ぎの鳶職をしているときに大怪我をして日赤に入院したんだ。嫁はんは阪大の医学部看護学科を卒業。同期の看護婦の中で一番先に看護婦長になったんだ。しっかり者で俺も入院中、かくれ煙草を吸っていて見つかりよく叱られた。

それはある日の晩だった。その晩は大阪でも珍しく雲のない日で月光が冴えわたっていた。俺は屋外に出て芝生のうえのベンチで煙草をふかしていた。そのとき婦長が通りかかった。俺は急いで煙草を足元で消しそ知らぬ顔をしていた。いつもなら婦長は鬼のような顔になり有無も言わさずに叱り飛ばすのに、そのとき俺の顔をじーっと見て、そのまま通り過ぎた。俺は怒られずにすんだとホッとした。その日を境に婦長が何となく物言いにも険がなく優しくなった。いつも俺のことを気に掛けてくれた。退院後も何回となく婦長から電話があり会った。食事代はいつも婦長持ちであり、婦長は俺より一回りも違う年齢差であったことから、年の離れた弟として面倒を見てくれているものと思っていた。あるとき飯場のアパートに婦長がきて晩ご飯を作ってくれた。その晩に婦長と結ばれた。その婦長さんが俺の嫁はんの直子だ。

嫁はんに何故俺のような者と所帯を持ったのかと聞いたところ、あの月光の晩貴方の顔を見たからと言っていた。俺には何のことか分からないが、俺にも平家の奥ゆかしい気品が備わっているのかも知れないな?、こんな中卒の学歴のない男によく来てくれたものと思う。親の猛反対を押し切り、職場にも惜しまれながら一緒に塩江に帰ったが、嵯峨野はあまりにも山奥なので、高松に家を借り子供も二人生まれた。今も高松の私立病院で看護婦長をし、なんせ天下の大阪日赤の婦長さんだったからな引く手数多だ。俺より稼いでくれている。俺にはもったいない嫁はんだ。

春子と同じ俺にも満月の夜に月光菩薩が微笑んでくれたのかも知れない。現に直子が嫁に来てくれた。だが結婚当初、正直いつ直子が出て行くのかと、心配で心配で家に帰れば居なくなっているでは、といつも心配していた。俺と直子では年齢も違うし学歴も学力も違いすぎる、そんなことを考えいつか居なくなるのではと。そう考えれば五郎さんと春子も、結ばれればうまくやっていけたのではないか。そんなことを考える事は取り越し苦労だったのかも知れないな。三郎とは百％心配ない。春子の言うままだろう。男と女は不思議な縁で結ばれている。

嗚呼ー、それに春子耳寄りな話がある。今年のお彼岸に五郎さんがお前のお墓にお花を供えてくれるようになった喜びなよ。これは俺のお陰だよ。五郎さんが一杯お花を掲げて嵯峨野に来たんだ。俺も偶々《たまたま》帰っていて家の周りの草刈中、五郎さんを見つけたんだ。五郎さんはあちこちをうろうろしていた。俺はハハー、きっと五郎さんがお前のお墓を探しているんだと気が付き、いつも春子のお墓にお花をありがとうと言った。そして俺は知らぬふりして五郎さんと一緒にお墓に行ったんだ。そのとき俺はびっくりしたよ。合掌している五郎さんの顔から大粒の涙がポロポロと幾度となくこぼれ落ちた。俺は五郎さんという男を見直したよ。春子お前は幸せものだよ。こんな年月がたってもお前を思い出してくれる男っていないよ。美しい涙だった。五郎さんはお前のことをいつまでも愛しているよ。三郎も続けて二十年間もお前のお墓にお花を持ってきているよ。二人の男に愛されて春子お前は幸せ者だよ。

二人の春子への想い

昭和時代は過ぎ、平成の時代、令和を迎え私も古希となった。私は五年前より腎臓病で入退院を繰り返し、弁護士の仕事にも差し支えるようになってきたので、今は大阪府茨木市の山間部の高級有料特別老人施設で悠々自適に暮らしている。景色が故郷の塩江に類似していて気に入り、何よりもここの施設は医療が充実し医者が常駐していることから入所した。

入所してから山上がよく見舞いに来てくれるようになった。山上は、まあ云わば私の恋仇というところでしょうか。この古希を過ぎる年齢になっても塩江中学の同窓生、藤澤春子のことを話題にする。私達は若くして逝った春子との共通する青春譚があった。

山上は「春ちゃんは、絶対に五郎さんのことが好きだった」と言い張り、私も意に反して「それは違うよ。山上君のほうが好きだったと思うよ」と、

それは両者とも春子は絶対に自分の方を愛していたという確信があったからだ。然し、山上と色々と話しているうちに、春子は山上を愛していたのではという気の迷い

が深くなっていった。

話しをしているうち分かったことだが、春子は私と交際していたのに山上とも交際していた。山上は私よりも先に春子と接吻し、春子が余命幾ばくもないことを告げたのも山上であった。私は山上を見くびっていたきらいがあった。私の小中学校時代の成績が彼より上であるという優越感があり、そのことから山上を上から目線で見る癖が残っていた。然し現実に春子のことでは山上に先を越されたことは確かであった。

それなのに山上は、

「春ちゃんは、五郎さんの方が好きだったんだ」

といつも同じ台詞を言い帰って行った。山上は私より先に春子と付き合っていた。春子はそれを知りながら私とも両天秤にかけていたのか。春子へのたまらない不信感が芽生え、その言葉を聞くと私を妙にイラつかせ、いつしか山上の来訪が苦痛になってきていた。私はいつしか山上を拒絶し、入室させないような措置をとった。

山上とのほんの小さな軋轢を感じ取っていたのは室内付きの山中春子さんという介護職員だった。彼女は度の強い太枠の眼鏡をかけていた。私は入所したとき担当の介護職員が山中春子さんです、と紹介されたとき、春子という懐かしい名に親しみを感じた。春子さんはふくよかな体格で、その体を表すように物事を包み込むような大らかな性格で、いつも私に優しく接してくれた。そんなことから、いつしか私生活も話し合う仲となっていった。

若き日の美しい思い出として、藤澤春子のことを、いつも繰り返して話題にした。春子さんはその話を飽きずに聞いてくれ、近頃はその話を殊更に聞きたがった。また春子さんは私と山上の仲を取り持ち、また山上の来訪を受け入れるようにも取り計らってもくれた。

ある日、山上とちょっとした軋轢があり、気まずくなった。会話をそれとなく聞いていた春子さんは、山上の帰った後、

「私、山上さんには悪いけど、春子さんは先生を愛していたんです。女が化粧をして逢いに行く。これは全身で愛を表わしているんです。春子さんの心は先生に傾いていたんです」

「山上が私より先に春子さんの心を捕らえていたと思うんだ。接吻だって、病気を先に告白したのも山上の方が先だったよ」

「先生、それは交際とは違いますよ。春子さんと山上さんは幼馴染なんです。只単

なる友達ですよ。山上さんは只単に親しい友達であって、それはリップ・サービス。先生を春子さんは一番愛していたんですよ。それでなければ人生の最後のときにお化粧までして先生に付き合ったりしませんよ。愛していなければ絶対そんなことしません。死んだ時だって死化粧してあの世に逝くでしょう。スッピンでは逝かないでしょう。女が化粧するのは、いつだって好きな男《ひと》にはよく見られたいのです」

「そんな友達にキスしたり、病気のことを告白するのか」

「山上さんとは幼馴染で気心が知れているんです。キスと言ったって、唇にちょっぴりのチューですよ。先生とは違うんです。先生は正真正銘のキスですよ。違うのですか。さあーどうですか先生」

春子さんにそう問い詰められて、私は年甲斐もなく赤面した。春子さんにはすべて告白しているので、すべてお見通しであった。

「まあ、先生たら照れたりして、春子さんは先生に惚れていたんですよ。だから大切な唇を許したんです。そんなことも先生は分からないんですか」

春子さんにそう諭されると、私は十代の初々しい少年のような気分になり益々赤面した。古希の老人であるが精神年齢はまだ十代の少年のような名残が残っていた。

「でも、女性は本当に好きな男には素顔を見せるって」

「先生それは水商売の女性の話です。普通のお嬢さんはお化粧するんです。そして良く見られたいと思うんです」

この言葉は、私を勇気付け和ませ青空の心がドドンと拡がっていった。

春子さんは不思議な人だった。どんなときも私の見方になり私の心に寄り添う言葉をかけ、勇気付けをしてくれた。特に人工透析中は特に春子さんと話が弾んだ。介護職員だから私を気遣ってと思ったが、それとは何か違う温かみがあり、身内のようで真心から私の身を案じてくれている懐の深さが感じられた。あくまでも春子さんは私に身びいきだった。

・

春子さんの心使いがあって山上が訪問してくることには然程、気にしなくなっていった。山上は帰るとき、

「五郎さん、春ちゃんの好きな人は五郎さんだった」

と、毎度同じ台詞をいって帰った。その言葉はいつしか病弱の私に心地よく響くようになってもいった。

山上は虚偽の言葉を発して言っているのかも知れない。然し、その褒め言葉を聞きたいため、いつしか山上の来訪を心待ちにするようにもなっていた。

ある日の会話のなかで山上は、二人の子持ちの女性と結婚した経緯を話した。そして生まれた子供に「春子」という名を付けた。その春子が成人し結婚して男の子を出産したが、その子に「五郎」という名の名前を付けたそうだ。

春子という名を付けたとき、こんな時代錯誤の名前を命名したといって奥さんはカンカンに怒ったそうだ。そして次に孫の五郎という名前も山上が勝手に役所に行って届け出た。後でそれを知って皆、呆れるやら嘆くやら大変だった。春子の夫も舅の山上がやったことだからと泣く泣く了承したそうだ。

「だから五郎さんは、春ちゃんから産まれたのと同じさ」

山上が、こう言ったとき、私も春子さんもあきれ果て、思わず爆笑した。それにしても山上が行ったことは常識を逸していた。然し山上も春子を慕う気持ちは同じで、いつしか恋仇の同士という奇妙な連帯の感情が芽生えていった。

山上が来訪する毎く、私の心は少しずつ明るくなっていった。山上の孫の五郎のことを聞くのが何よりの楽しみにもなっていた。私には家族はいないが、肉親が一人出来たように嬉しかった。

それにしても何故、山上は「春子」「五郎」という名前を付けたのか不可解であった。山上は「俺、春ちゃんと五郎さんが結ばれればいいと思って」と照れ隠しに笑った。山上も春子を死ぬほど好きなのに、私に華をもたせてくれる心遣いにおもわず眼頭が熱くなった。

山上が帰ると、いつも寂寥感がのこった。山上がいるときは心が晴れ、その後は憂鬱な心が支配する。その暗い顔を見ていた春子さんは努めて明るく、

「先生、そんなときは春子さんを思い出すのよ良い」と言った。

不思議だった春子を思い出すと若き日に帰る。春子の顔が蘇ってくるのだった。然し、春子の横に山上もいる。戸惑う私に二人が駈け寄り、三人で手をつないで輪になって踊っているのだ。いつもいつも三人で。

そして踊っている春子を見ていると、私より山上の方を見ている。いつもいつも山上を見ているのだ。想い出せばおもい出すほどそう見えてくるのだった。

そのとき私は、春子は私より山上を愛しているのではと無常の中で知らされた。思えば春子と山上の幼馴染の間に育んできた愛の中に割り込んだのは私だと遅まきなが

ら知った。

私があの二人の仲を・・・・・私は馬鹿だった。本当に大馬鹿者だった。山上は絶対的に春子の愛を信じていた。だから「春ちゃんは五郎さんが好きだったんだよ」と自分の意に反して私に声をかけ続け、また孫にも「五郎」という私の名を命名したんだ。

私は遅まきながら余命幾ばくもない人生のなかで無常を悟り、私のことを気遣ってくれる友に感謝した。腎臓病の病状は一進一退で相変わらず人工透析を受け、いつも山上が来訪してくれるのを心持ちにし、その孫の五郎の成長を聞くのを楽しみにするようになった。

・

近日に変ったことといえば、いつも付き添い温かく励ましてくれた介護職員の春子さんが退職したことだった。春子さんの退職の理由は分からず、急に春子さんがいなくなったことに、私は若かりし日に春子の死を知らされたときと同じような衝撃を受け、心の底に空虚感が広がっていった。春子さんはそれだけ重い存在だったのだ。私は悲しみに暮れたが、数日して春子さんから思いも掛けずに手紙が届いた。私は急いで封を切った。

「・・・・・先生、私はずーっと先生を欺いていました。先生はいつ気付くか、いつ気付くか心配でたまりませんでした。とうとう先生は最後まで気付きませんでしたね。これを幸甚とします。

先生、私は先生を三十年前に騙して先生からお金を巻き上げた春美です。私が二十歳のとき、先生と一ヵ月程、同じ屋根の下で暮らした春美です。こう言えばもうお分かりでしょうか。私は先生と同棲していた中山春子です。先生がこの施設に現れたときは本当に驚きました。

施設長から、先生の担当するよう言われたときは、因果は巡ってくると思いました。悪いことは出来ないものです。私は自分のした罪の深さに苛まされました。あれからはや、三十年たち私も五十歳になりました。

先生とお別れしたとき、先生は、私の前に絶対に顔を見せるなと言いましたね。そのことが脳裏に浮かびました。私はばれるのが恐く、黒縁の太い眼鏡をかけ髪を茶髪に染めました。先生にばれなくするためです。

私は先生の部屋に入って、施設長から担当する職員の中山春子ですと紹介されましたが、私は「いえ山中です」と言いました。施設長は首を傾げていましたが、ともかくばれずにすみました。「中山」と「山中」は混同しやすい名前で、それから先生の前では山中で通しました。また都合がよいことに施設の職員は出入りが頻繁ですのでばれずに助かりました。そして、先生と知り合ったホステスのときの体重は四十五キロ程でしたが、今は六十キロですのでふっくらとしています。そんなこともあったのか。先生は中山という名を忘れて、春子と言う名に惹かれたのですね。

私は先生の話から、先生の思い入れの人が藤澤春子さんであると判りました。それで藤澤春子さんの話を意識して仕掛けました。聞けば聞くほど先生がどれほど春子さんを愛していたのか、私にはひしひしと伝わってきました。

私が大阪のマンションで先生と暮らしているときに、一度だけ先生には心の中に好きな人がいるのではと言いましたね。覚えておいででしょうか。先生には心の中に秘めた意中の人がいるのではと。その人が藤澤春子さんと判りました。でも私も先生が好きでした。ホステスのとき身をゆだねたのは先生だけでした。同棲中、先生と夫の間で心が迷いました。抱かれていて分かるんです。先生の心の中に誰か、そう感じ私はマンションを出ました。この施設は友人の紹介で勤めました。

施設で先生をお世話し、先生とお話しているときは本当に毎日が楽しく、藤澤春子さんが先生に逢いに行くときのように、ときめきを感じていつも出勤していました。それはそれは念入りにお化粧をして、それもこれも先生に良く見てもらうためにです。いつか春子さんと対抗して先生を私の方に振り向かせたい、盗ってしまいたい。でも、もうこれ以上いると・・・・先生といると・・・・、離れたくなくなるのです。主人に抱かれながらも先生のことを思っていました。私は悪い女です。もうこれ以上いると・・・それに私は先生の心の中に絶対に入っていけないことを悟ったのです。春子さんが今でも先生の心の中に生き続けているのです。それで先生を諦めるため泣く泣く身を引く決心をしました。

山上さんの胸の中にも春子さんが生き続けています。山上さんがこんなことを言っていました。夢の中で先生、山上さんと春子さんが輪になって話しているとき、春子さんは先生ばかり見つめているのですって。

山上さんはこれは春子さんの、先生への気持ちの表れだろうと、私もそう思います。春子さんが愛したのは先生だけです。・・・・そして、これだけは本当に私だけの秘密にしておきたかったのですが、私の長男は先生と私の間に出来た子供です。

夫は何も知りません。

先生は春子さんだけの思い出の中に生きていますが、その間に私も入れて頂きたいのです。こんな秘密の話しをしてまで、先生を春子さんだけのものにしたくないのです。長男はA型です。私はO型で、夫はA型です。生まれたときから長男は夫に似てなく先生に似ていました。成長するにつれ益々、先生に似てきました。先生の手は紅葉手ですね。とても小さく可愛いですね。長男も紅葉手です。夫がその手を見て俺の子じゃないみたいだと言うと、私は夫を罵倒しました。そんなこともあって夫は何も言わなくなりました。施設にいるとき先生はA型と知りました。

私は罪の深さにおののきましたが、一方で先生との深いつながりが出来たと喜びました。私は罪深い女です。長男は結婚し、今東京で結婚して子供もいます。

それから先生、今まで永い間、本当に申し訳なく思っています。先生にお借りした百万円、御返済させて頂きたく思います。誠に誠にありがとうございました。

中山　春子」

春美いや春子さんからの重い告白の手紙だった。知らなかった、春子さんは春美だったんだ。最後に中山春子として血印が押印されていた。

迂闊にも私は春美を思い出さなかった。思えば三十年前に私は春美と一ヵ月程同棲していたのに。それなのに春子さんとの話しの中では、一度もそのことを話題にせず、思い出すこともなかった。

一度でも春美の話をしていればと思うと後悔の念で一杯だった。申し訳ないすまないことをした。そして驚いたことに春子さんとの間には、私との間に不義の子供も出来ていた。これは虚偽ではないだろう。春子さんの告白を信じた。どんな気持ちで育てたのであろう。藤澤春子の擬似恋として春子さんを抱いた。然し、あの後はどんな女とも同棲しなかった。このことがせめてもの春子さんへの罪滅ぼしかもしれない。手紙のなかに小切手が入れられ百三十万の額面が書かれていた。三十万円は利息として入れたのであろう。春子さんの誠実さが感じられた。

「春子さん・・・」

春子さんからの手紙をみて、もう一度春美、いや春子さんに会いたいことを心底願った。今までの一生懸命、親身になって世話してくれたお礼を言いたかった。

春子さんが施設に入ったときから私を先生と呼んだ意味が分かった。他の職員皆が私を藤沢さんと呼ぶのに、春子さんだけは最初から先生といった。

私が元弁護士であり藤澤五郎であることを知っていたのだ。当初から私のことを分かっていたんだ。それに春子さんと私との間には子供まで成していた、その事実を知らされた。このことに強い衝撃を受けた。春子さんはどんな気持ちで育てたのか、その胸中を推し量り自分の若き日の悪行を悔いても悔いきれなかった。

・

後日、山上が来た。

「そうかぁ、春子さんが辞めたんだって、俺、春子さんが好きだったんだ。五郎さんには悪いけど春子さんに会うのが、五郎さんと会うより楽しみだったんだ」

「おいおい山上君、君は塩江の春子さんが、好きだったんではなかったのか」

「塩江の春ちゃんは、五郎さんの方が好きだったんだよ」と山上は頬を膨らませ相変わらずに同じことを言った。

「このことは中山春子さんからの手紙で知らされていたが、山上も同じように塩江の春子の夢を見ていたんだ。山上の夢に出てくる春子は、山上より私の方を見ている。それで山上は塩江の春子が私の方を選んだと、いつも言っていた意味が分かった。こんな不思議なこともあるんだ」

「山上君、君は春子さんは、私を好きと思っているだろう。然し、私は山上君の方が好きだったと思うよ。これは本当だよ。私の夢の中で思い出す春子さんはいつも山上君の方を向いて微笑んでいるんだ」

二人とも同じような夢を見ていたんだと言うと。山上は驚いたように、

「そうか俺も春ちゃんを夢の中で思い出すんだ、いつも俺と春ちゃんが遊んでいるんだ。そのとき五郎さんが来て一緒に遊ぶんだ。でも春ちゃんは遊んでいるときいつも五郎さんばかり見ているんだ」

「五郎さんと俺は夢の中でも同じような夢を見るんだな。不思議だなそれだけ春ちゃんが好きだったってことだ。でも春ちゃんは短い生涯でも幸せだったんだ。俺たち二人の男に好かれて」

「でも、春子さんの気持ちはどっちだったんだろうな」

「それは五郎さん、春ちゃんはどっちも好きだったんだ。男は好きな女の人二人を同じように愛せる人がいるだろう。女の人だってそんな人がいると思う。春ちゃんは、そんな大らかな人だったんだ。中東では一夫多妻だろう。反対に中国の奥地、ヒマラヤなんかに行くと一家で一人の奥さんだって。テレビでやっていた。兄弟で一人

の嫁さんを共有するんだ。そんな所で俺は住みたいな。春ちゃんと五郎さん三人で、日本ではそんなこと出来ない。日本で暮らすとなると春ちゃんはどちらかの籍に入らなければならない。そのときは五郎さんの籍に春ちゃんをいれて俺が同居すればいいと俺は思っているよ。春ちゃんと一緒なら形式はどうだっていいと俺は思っている。

なんとまあ、私は呆れたが、私も何となくそれもいいと思った。春子といればそれだけでいい。然し、今の私は春子より現実にいる春子さんの方が気掛かりだった。私はこの世に何も未練はなかったが、もう一度春子さんに逢いたいそのことだけを切実に願っている。また春子さんと私の間には子供もいるという、そのまだ見ぬ子供にも会って見たいという願望が湧いてきていた。

・

そんな春子さんを思う哀歓な日々を過ごすある夜、私は窓辺のベットでぼんやりと中秋の名月を見入っていた。そのとき廊下のドアが静かに開き女性が入ってきた。女性はドアを閉めると静かに鍵をかけ、私に足早で駆け寄ってきた。あの春子さんだった。夢にまで見た春子さん、一日千秋の思いで逢いたかった春子さんだ。

「アッ・・・春子さん」

春子さんは、その声を塞ぐように私の口にそっと手を当てた。ドアの鍵はいつも開放していたことを春子さんは知っていたのだ。

私と春子さんは抱擁し夢中で接吻した。春子さんの衣服を剥ぎ取るようにして脱がした。窓辺から差し込む煌々とした蒼白い月光が春子さんの裸体に降り注ぎ神秘的に見えた。豊かな乳房が雪のように白かった。おもわず乳房に噛み付いた。「ウッ」と春子さんは小さな咽を発した。互いに求め合い貪るように接吻・抱擁し、私は抜かずの二連発射精した。精液が尿道を通過して行くのが感じられた。この齢になっても、それほど強く春子さんを追い求めていたのだろう。夢現の快楽は私を陶酔させた。人生の中でも初めての快感だった。死んでもいい。

その日から春子さんは、三日と空かずに部屋を訪ねて来るようになった。そして、何より私も春子さんが来ることを乞い願った。来ない日は、寂しく涙ぐむ日さえあった。来れば抱擁し飽くなき情交を繰り返した。私は病弱で、古希の老人だ。それなのに若鮎が牝鮎を追っかけるように、春子さんを執拗に追い求め、月光の中で見た春子さんの裸体が目に焼き付いて離れない。その裸体を妄想し悶えた。私の人生は、もう余り長くない、それなのに老体に鞭打っての女体への飽くなき執着。完全に老いらくの恋だった。

いつしか、その不倫が施設内で、評判になっていたが構わなかった。

「おい五郎さん、春子さんとのことが評判になっているぞ。春子さんは人妻だ。五郎さんは生真面目な人と思っていたのに。見損なったよ。それに春ちゃんが可哀そうじゃないか」

春子と春子さん

藤澤春子は亡くなっていない。現実にいないんだ。もう春子はどうでもよくなっていた。

中山春子さんと付き合っているうち春子は、哀しそうな顔をしてどんどんと遠く離れて行った。その分、それを埋め戻すように春子さんは私に近寄ってきてくれた。でも最初の藤澤春子をどうしてあんなに好きになったのだろう。考えてみれば私は優等生、言い寄ってくる女の子は一杯いた。然も春子は勉学も優秀でなく、いたって普通の子だった。それなのに何故あんなに思慕したのか。初めて付き合い、蒼い月光の下で見た春子は高貴にみえ、それから近寄りがたくなった。郷里の塩江内場池池畔で婚約し、若くして劇的に死んだことから思慕の気持ちが強く昂揚したのであろう。

然し、今は中山春子さん無しの生活は考えられなかった。春子さんとはいつも睦みあう気持ちが生きがいとなっていた。現実に春子さんも、家庭を顧みず私を慕って逢いに来てくれている。不実でもその気持ちが嬉しかった。春子さんとは心中をしてもいいと思っている。

藤澤春子を思慕する私と、中山春子さんを愛するもうひとりの私がいる。今は中山春子さんが恋しい愛しい、いつも愛し合いたい。今は春子さん無しではもう一日が暮れない。それほど好きだ。逢えば抱きしめ離れたくない。

施設では私達のことが噂され、山上の忠告から、私と春子さんは施設での逢引を避け、茨木市内の名神高速道路のインタチェンジ近くの連れ込みホテルで密会を重ねた。私は春子さんに飽きることなくますます情交は激しさを増した。春子さんも、私のどんな愛撫の求めにも応じてくれた。

春子さんといればもう何も無くていい、私はいい加齢をして春子さんにますますのめり込み夢中になっていった。

ある日、春子さんと濃厚な愛を確かめ合ったとき、春子さんの顔がいつになく蒼暗

かった。私は春子さんに、

「春子さん、どうしたんだい。そんな顔して」といった。

「先生の中には、まだ藤澤春子さんが棲んでいるのですね」

「いや、もう春子はいないよ。春子さんだけだよ」

「先生の中には春子さんが棲んでいます。今でも私は春子さん、一度も春子って呼んでもらった事はありません。私はいつも春子さんです。先生は藤澤春子さんから逃げられないのです」

「そんなこと無い、私はもう春子とは遠に縁を切っている昔の淡い想い出だ。それなら、これからは春子さんを春子といっていい。今は春子さんが私の胸に息づいているよ。嘘じゃない」

そんなやり取りをした日から春子さんとの交遊は途絶えた。

春子さんとの逢えない日は寂しく、その身が辛い。春子さんには夫がいる所詮叶わぬ恋だったのだ。


二週間ほどして春子さんから手紙が届いた。私は嬉しさから、その手紙を抱いて部屋のなかをまるで少年のように飛び跳ねた。春子さんからの手紙を待ちわびる自分がいたのだ。急いで封を切った。

「・・・・・先生、先生が、先生の胸に私が棲んでいますと聞かされたとき、私は胸一杯になりました。嘘でも嬉しいです。先生は春子さんを月光の中で見て、それから春子さんを慕ったことを知りました。私は春子さんに嫉妬をしていました。月光の中で先生を振り向かせ、私だけのものにしたい。私も先生に愛されたい、そのため中秋の名月の日に先生の部屋に忍び込みました。その名月の中で先生に抱かれた事は夢のようでした。身も心も溶けました。女のよろこびを教えてくれました。

私も先生なしではもう生きていけません。私もこれからは春子って呼んでくださいね。それに先生、私、先生に最後のお願いがあるのです。お逢いしたとき、そのときにお話しします。今度はホテルでなく静かな旅館だと嬉しいのですが。先生は木曜日に腎臓透析を受けていますので、その翌日の金曜日の十時に阪急茨木駅の駅前広場にてお待ちしています。・・・・先生様・・・春子」

春子さん、いや春子の願いとは何なんだろうか。次の金曜日まで三日ある逢えば春子を愛撫して死ぬほど抱きしめたい。その夢想に耽り、その三日間を上の空で過ごした。

その当日は、前日に雨が降っていたのが嘘のように青空の晴天だった。晴れ晴れとした気持ちでタクシーに乗り、春子と亀岡市の湯の花温泉鶴亀旅館に向かった。茨木駅より一時間ほどの道程で、弁護士時代に北新地のホステスとよく利用した旅館だった。何よりも風景が塩江に似て静かな山間の温泉であることから決めたのだった。タクシーに乗ると、私はすぐ春子の手を強く握りしめた。春子もそれに応じ、それ以上に強く握り返してきた。二週間ぶりの春子の手はしっとりと汗ばみ二人の気持ちは相愛していた。

旅館に着くと、女将さんの迎えがあり、部屋の障子が閉められると一日千秋、まるでこの日を待ち構えたようにすぐさま抱き合った。春子も私を求めて離さなかった。セミが短い夏の夜に命を燃やすように絡み合い愛を確かめあうように激しく燃えた。「先生、嬉しい」と春子は泣いた。頬から落ちる涙を私は静かに嘗め舌で受けとめた。

春子の濡れた乳房の先のさざ波が波打ちつようにもだえ広がっていった。情事の後も抱擁し離れなかった。そのとき初めて「春子」と言った。春子は泣きはらし、私の胸にたおやかな黒髪を埋めた。愛しい春子。

しばらく私達は愛欲の冷めるのを待った。

「先生、お手紙にも書いたのですが、・・・・・」

「それよりも春子、このことはご主人は知っているのか。私は独り身で覚悟はしている。そのことでご主人とは話し合おうと思ってもいる。君は人妻だ、私に愛情をくれるのはいいが・・・、そのことで君に迷惑をかけてはいけない」

「主人は薄々気が付いているのかどうか分かりません。半信半疑というところだと思います。主人とは高校の同級生でした。一緒に福井から大阪に出てきました。悪い人ではありません。とても良くしてくれます。でも私の前に先生が現れ同棲しました。ホステス時代の先生と暮らしたことは夢のようでした。結果的に先生を裏切るようにしてマンションを出ました。あの時、先生の胸中に春子さんがいなければ先生に付いて行きました。主人とは別れていました。それほど先生が好きになっていました。先生と再会したときも、先生はまだ春子さんを思慕していましたね。とうとう先生は私のことは、ついに思い出していただけませんでしたね。山上さんと先生はいつも春子さんを巡って恋の鞘当をしていましたね。そのとき私にも小さな悪意が芽生えたのです。私もこの恋に参加してみようと、念入りにお化粧し、そう思って日々先生にお使えしていたのです。いつの日か、先生を私に振り向かせてやるわ。そうおもって日々を重ねるうちに先生のことが愛おしくて愛おしくてもうどうしようもなくなりました。死ぬほど独り占めしたくて好きになりました」

そう言うと、春子は両手で顔をおおって号泣した。私はおもわず春子を強く抱き寄せた。病弱で非力な身であったが、それでも力一杯で抱きしめた。春子が死ぬほど愛おしかった。春子となら死んでもいい。

「先生、私と死んでくれますか」

最後の願いって、そのことだったのか、私もそんな日が来るのではとおぼろげながら考えていた。私が考えていたことを、春子もそう思っていたんだ。春子がそういったとき春子の顔が月光菩薩のように美しく見えた。春子は意を決して胸中を捧げて言った言葉であろう。その瞳に嘘はない。私は即答した。

「嗚呼ーいいよ。春子と死のう」

その言葉には嘘偽はなかった。春子となら心中してもよいと心底おもった。

「春子、私と死のう」

春子は私に促されてハンドバックから白い錠剤を取り出した。睡眠薬であろう。春子から渡された睡眠薬を、私は迷わず躊躇せずに呑んだ。

「これで楽になれるね。愛しの春子よ、ともにあの世で・・・」

春子と死ねる。このことで幸せ一杯だった。春子と握った手は暖かく、だんだんと意識が朦朧し頭が空白となっていっていった。数時間経ったであろうか、私は、ボンネット型バスに乗せられ、山間のガタゴト道を走っている。

乗客は私だけであり、不思議なことに一緒に死んだはずの春子はいない。どんなに愛した仲でも死んでいくときは、独りなのだと初めて知った。淋しい。車内は昭和三十年時代特有の粗悪ジーゼルエンジン臭の匂いがあり、地道を走っているのかバスの揺れも強かった。

車窓から外を眺めると、故郷の塩江に良く似た景色が広がっていった。車掌の肉声で、次は、「塩江、塩江です」その案内で、私は慌ててバスを下車した。去って行くバスを見ると、白・赤のツートーンカラーの模様の入った懐かしい琴電バスではないか。何のことはない、私は琴電バスに乗っていたのだ。天国に行くバスは琴電バスなのか。一度故郷に帰って、思い出に浸って来いと言うことなのだろう、神様も粋な計らいをしてくれるのだ。

バス停近くの実家は両親も鬼籍の人となり、今は空き家となっている。夜空からの蒼い月光が優しく実家に注いでいる。両親を偲び泣けた。

〔父さん、母さん帰って来たよ。いまから天国に行くところだよ〕

実家前で佇んだ後、塩江の温泉街を何となく彷徨し、いつしか脚は椛川・嵯峨野にある藤澤春子の実家に向かっていた。私は中山春子と心中した・・・藤澤春子に自分の不実さを独り詫びながら歩いた。

春子の実家近くの桜並木に来たとき、月光の下にいる淡いピンクーのワンピース姿の若い女《ひと》をみた。桜の咲く頃、内場池池畔でデートしたとき春子が最後に着ていた服とよく似ている。あの女が春子だと良いなと思って近づき、眼を見開いてよくよく見ると春子だ。夢にまで見たあの顔だ。嘘じゃない、間違いない、確かに春子だ。夢じゃないんだ。

私は、その感動で全身がガタガタと震えた。逸る心で、

「春子さーん、春子さーん」

と必死で呼びかけ、息もたえだえに駆け寄った。

「春子さん、春子さんだね、逢いたかった。君を訪ねてここまで来たよ」

煌々と照る月光の下に見る春子の顔は透き通るように蒼白く、鄙人形のような幻想的な美しさに溢れていた。春子は優しく微笑して、私を静かに迎えてくれた。

「私ずーっと、ずーっと・・・」

「春子さん、私はこんなに歳を取ってしまった。君は変らないね」

「ううん、五郎さんもちっとも変ってないわ」

「馬鹿なことを言ってはいけないよ。私はもう老人だ。もう七十になるんだよ」

「五郎さん、ちっとも変らないわ。あのときのままよ」

不思議であった。あの世においては、若返るのであろうか。私は直ぐ自分の手を見たところやはり老人特有の皺手である。然し春子からは、私の顔は別れた十代の時の顔に見えるのであろう。私は、この幻影を素直に喜んだ。

私達は自然と抱き合った。だが春子の身体には感触がなく、薄布をさりげなく被っているようであった。然し、夢現のなかでも、現実に春子がいる。もうそれだけで胸が熱くなるほど感動し、春子がいるそれだけで嬉しかった。絶対に離したくない。

その後、私達は半世紀の空白を埋めるが如く会話を重ね、その中で女性遍歴も自然と語った。

「春子さん・・・・ごめんね、長いこと待たせて。その間、私は君の愛を裏切って、恋愛もしたよ」

私がそう言うと春子は、このことを肯定も否定もせず、はにかむように微笑した。私はこの告白を後悔したが、春子には私の五十年の総て知ってほしかったからであった。然し、私のした行為を微笑で返してきたことは以外であった。

「私にもいろんなことがあったわ、この場所でずーっといたの、私もいろんな男《ひと》と出会い、恋もしたわ。その人達は皆、私を通り過ぎて行ったわ。君には秘めた男《ひと》がいるだろうって」

私は、この言葉を聞いて、春子を責める気には到底なれず、むしろホッとし安堵した。嗚呼、春子にもそんな青春譚があったんだ。春子にもそんな恋があったんだ。だからこそ私の恋愛を微笑で返してきたんだ。

そんな春子が、なお更愛おしくなり静かに抱擁した。

「春子さん」

抱擁しながら、山上の事も話題になった。

「三郎さんは、幼馴染なの。小学校から中学まで一緒に通ったわ。いつも一緒で心の優しい人なの。春の土筆《つくし》、蕨《わらび》採り、夏になれば椛川で川遊び、秋になれば三郎さんの家の柿をちぎって食べたわ。冬には竹スキーで遊んだの」

春子は嬉々として、三郎との思い出話を喋った。

私にはそんな思い出話がないことから、三郎に嫉妬していた。そんな事から少し意地悪く、

「春子さん、山上君は今、三人の子供の親になって元気に過ごしているよ。私は弁護士になったといっても、女の人には縁が無く今も独りものだよ」

ことさら、山上は結婚し、自分は独り者であるということを数回強調したのであった。

「そう、三郎さんは結婚したの」

そう言ったときの春子の瞳は、心なしか曇った。そのとき私の心がまた意地悪く囁いた。

〔春子さん、春子さんは私と山上君、どちらにも結婚の申し込みを受け入れたね。本当はどちらを愛していたの。私の方、山上の方〕

そう言おうとしたとき、

「私は、私は・・・・・・・忘れ・・・」

と言いながら、私の胸から静かに離れ月下に透《す》けていった。

私は、自分の浅はかさを悔いた。春子に心が読まれていたのだ。でも永遠に逢えないと思っていた春子に逢えた。もうこれでこの世の未練は何もかもなくなった。私も春子の後を追おう。

・

私は頭が割れるように重く混濁しながら目を覚ますと、中山春子が真っ赤な眼をして、心配そうに私の顔を覗き込んでいた。

「御免なさい、御免なさい」

そういうと、春子は泣きじゃくって、畳の上に崩れ落ちた。

ことの成り行きを聞けば、当初から私に致死量に至らない睡眠薬を呑ませ、私の覚悟を試したそうだ。その後は私が目を覚ますまで待っていたのだ。赤い目はさらに泣いて真っ赤に充血していた。

「先生ご免なさい。先生がアッという間もなく薬を呑み、それで私を愛してくれている事が分かりました。先生の胸の中には私も居るって分かりました」

そういうと春子はさらに嗚咽し泣き崩れた。

私は驚いた、現世に戻って来たんだ。

「君はもう私のものだ。もう決して離さない。絶対に離したくない。もう泣かなくていい。君が手紙をくれたとき私はとても嬉しかったよ。部屋で転げ回り喜んだほどだ。私は君の気持ちが嬉しかった。本当だよ。君の手紙をみて、女の人からお願いの文面が入っているとね、一番はお金のことなんだ。二番目は愛憎のこと、私は弁護士時代にそんな相談を数多く受けた。君が死んでくれと言ったとき愛染と分かったよ。君も私を愛しているとね。私も君のご主人と真剣に話し合わなければと思っていた。然し、もうここまで来たんだ。君の気持ちを考えると引き返せないと思った。そして君とは心中してもいいと、そのとき覚悟を決めた。だから君が差し出す睡眠薬を躊躇なく飲んだんだ。君となら心中しても構わないと思って」

「先生、ご免なさい、二度まで先生を騙して」

そういうと春子は、私の胸の中で泣き崩れ号泣し、その熱い滴がこぼれ瞬く間に胸は愛涙で溢れた。濡れた春子の波打つ黒髪の香りを嗅ぎながら深い眠りに陥った・・・。

蜩《ひぐらし》の鳴き声で、ふと眼が冷め隣部屋を見ると晩ご飯が配膳されている。もうそんな時間なんだ。

「春子、ご飯を食べよう。お腹が空いたんだ。あの世に行ってもお腹は空くんだな」

泣くなく春子をなだめなだめご飯を食った。老舗の名物旅館だけあって、突き出し、刺身、てんぷら、どれも美味しかった。そして茶碗には赤飯が盛られていた。

「春子泣かなくていい、君は私を愛していたんだ。だからこそ致死量に至らない睡眠薬を飲ませたんだ。未遂に終わらせたんだ。私も弁護士だ。心中事件に携わったときがある。心中のときはほとんどと言っていいほど女が先に薬を飲むんだ。そのとき男は助かっている。偽装心中だ。太宰治だよ。逆に男が先に飲むと心中している。君は私の後を追ってくれるものと思っていた。だが君は私を愛しているからこそ未遂に終わらせたんだ。それに今日の晩飯、赤飯が出ていただろう。これは心中が成就された証拠なんだ。私と春子が心で結ばれた。女将さんが気を使って出してくれたんだよ。春子こんな老舗の女将は男女の機微をよく知っている。君は私を殺せない、私を深く愛していると、そう判断したんだ。そして赤飯を出してくれた。私たちは今日心中沙汰で、一層固く心でも結ばれたんだ。これでいいんだ。でも春子には家庭がある。それを捨ててはいけない。君は帰らなくては行けないよ・・・・愛していればこそ、さようならする・・・・・春子、今度こそ、君はもう僕の前に顔を出してはいけないよ。今から尼崎に帰れば家庭に戻れる。君はご主人の所に帰るんだ。私は今まで生きてきたなかで、今日が一番楽しかった。本当だ。君は心の妻としていつまでも生きているよ。ありがとう」

私は旅館からタクシーに春子を乗せ自宅に送らせた。いよいよ別れのとき、私は今生の別れと思い、封筒の中に、今までの献身的に支えてくれた厚情に感謝し、また不義の息子を育ててくれたお礼・お詫びを兼ねて一千万円の小切手と走り書きのお礼文を添えた。そして春子の細くて白い指を両掌でしっかりと包みこんだ。

別れた後の春子のいない部屋は寂しく、先刻まであんなに激しく燃え愛した春子はもういない。春子の妖艶な姿態を思い出し未練がましく、私は童貞の少年のように大声を出して泣いた。もうこれが人生の最後の泣き収めであろう。この慟哭は藤澤春子への背徳に対しての哭でもあった。

私は、いい歳をして二人の春子に愛の背信をした。その罪の重さに慄いた。私は今日、中山春子と偽装心中し睡眠薬を飲んだ。そして幻想の中で藤澤春子と出逢った。その春子には「君を追ってここまで来た」と言い。幻想から覚め現実に戻ったとき、中山春子に「君はもう私の者だ。・・・君を妻として思っている」と、言ってはならない不実の言葉をかけた。

私の一番愛しているのは、藤澤春子である。なのに身体は中山春子を求めた。

これも一つの愛の形であろうか。

二者択一

私は幻想の中で、春子と逢ったとき、私と山上のどちらを愛しているのか、と問うた。その問いに春子は「私は・・私は・・・・忘れ・・・」と言い、その後の言葉を発しなかった。

愛していればこそ、両者とも選べないのだ。春子はどちらも選ばなかった。どちらかを選べば、心に深く傷がつく。沈黙することが優しさなのだ。それが真の愛なのだ。それなのに私は、両春子の愛を得ようとした。私は罪深い男だ。

このとき、二者択一を迫られたときの春子の気持ちが身につまされた。

また、幻想の中での藤澤春子の言葉の意味にずーっと捕らわれていた。

「私、ずーっと、ずーっと」、そして「私は・・私は・・・忘れ・・・」

この言葉は何を意味するのか。また何を訴えたかったのか。「私、ずーっと、ずーっと」は、若しかすると、私ではなく、山上であったのかもしれない。山上が結婚したことを知らせると、「そう三郎さんは、結婚したの」、と言い、その時に春子の瞳が曇った。

あの「私は・・私は・・・忘れ・・・」とは、

①春子を早く忘れて欲しい。

②私を決して忘れないで待っている。と言うことなのか。

私は、②の思いを願って、許されるなら月下に透えた春子が、今しばらく留まっていて、私と一緒に昇天して欲しいと切に願う。

天国への道筋は、今回の臨死体験で覚えた。琴電のボンネット型バスで塩江に行けばいいんだ。そこには確かに春子がいる。今まで、ずーっと永い五十年間も待っていてくれたんだ。「絶対に待っていてくれるだろう」春子の純愛を信じている。

悲しいかな、それが私ではなく、待っていたのが山上と分かれば、潔く独りで昇天しよう。

私は藤澤春子と同じ腎臓病を患い、多臓器にも不全を及ぼし、もうすぐ逝くだろう。もうこれで春子に恋慕する永い永い人生の文《あや》は終わる。私は子孫を残していない、春子さんとの間に生まれた子供は春子さんのものだ。山上に私の死後、墓は椛川、嵯峨野の春子の墓近くに建立し、春子の墓にほんの耳かき程度でいいから散骨して欲しいと願った。春子を独りにしておくのは偲びなく思ったからである。後数ヶ月ほどの余生は、私の愛し惚れ込んだ二人の春子の思い出の中で生きていく。

私は、大阪というか関西では少しは名の知れた弁護士だ。弁護士のほか不動産にも手を染め、大阪北摂地区の分譲宅地で随分と稼いだ。資産は有に十億円は越えるだろう。豪遊し女性とも十分に交わった。北新地、宗右衛門町の高級クラブにも何も思い残すことはない。私は子孫を残さなかった。それでもいいと思っている。山上には子供が三人いる。そのなかの春子ちゃんの子供が五郎、自分と同じ名前をつけた山上の孫に私は五百万を贈与した。驚いた山上はそんなことをしてはいけないと言ったが、山上にも五百万円渡した。

山上は塩江の小説を書いていると言う。その足しにと言った。何か私達の友情の物語を書いてくれればと思う。上梓すれば春子の墓と、私の墓に一冊供えて欲しい。

中山春子さんの百万円のお金は、春子さんの気持ちを汲んで椛川、嵯峨野の山を購入し、椛桜の木を植樹して欲しいと山上に伝えた。

思えば十五で集団就職し、資産も自分だけの物欲に、家庭も持たず哀しからずやの人生であった。そのなかで只一条の光は塩江の藤澤春子と、人妻の中山春子、二人の女性と恋愛をした思い出である。

思い残すことがあるとすれば、藤澤春子と結婚を成就させたかった。春子とは深い縁で結ばれ、青春の一時季、みじかくも美しく萌えた。もうすぐあの蒼い月光の中にいる春子と逢える。思えば只々、春子の俤《おもかげ》を追って過ごした七十年の生涯であった。

煌々と照る月光の下で見るあなたの顔は、透き通るように蒼白く奥ゆかしい気品さが漂う、幻想的で美しい。懐かしの春子、
・・・もうすぐ逝くから消えずにおくれ・・・
藤澤春子は、香川県高松市塩江町、椛川ダム池畔の嵯峨野郷のお墓の下で静かに眠っている。

恋愛と悟り

大矢　昇

春子絶唱は昭和三十年、四十年代の時代の青春譜である。かの時代は老若男女とも日本の古き良き純心性を持ち、何か懐かしい匂いが感じられる。特に塩江出身者は純心な人が多いのであろう。読んでいて実に切なくホロッとする。この優しさは塩江の自然が育んだものと思われる。

月光に照射され女性が美しくなる。これは真実である。私は若かりし日にある女性と満月の夜にデートをした。普段から地味な彼女の顔が月に照らされ神々しくみえた。それは神秘的ですらあった。月光の蒼い光を浴びて変身したのである。不思議であった。

昭和三十年当時、都会であっても郊外に行けば外灯はなく月明かりだけである。その月光下でみた彼女の顔は、人間の内面に存在する敢えていえば古代から営々として、日本女性に受け継がれてきた奥ゆかしい神秘的なものが存在し、その顔には内面から生ずる無垢が浮かび上がっていた。

然し、現代においては月を愛でる。そんな風流心は皆無になってきている。実に残念なことだ。

藤澤春子を巡っての二人の男、この両人の気持ちはよくわかる。男はどこまでいっても純情だ。過去の美しい恋をいつまでも懐古する。私は自分でいうのもおこがましいが、若い頃から女性によく持てた。今も相変わらず女性に優しくされている。そんな私でも女性に去られたときは心がなよんだ。去った女性ほどよく覚えている。

さて本題の藤澤春子が藤澤五郎と山上三郎どちらの男を愛していたのか、これはどちらかというよりも春子は両人をともに愛していたと思われる。

「純愛と恋愛」どちらの愛も普遍であり、愛に変りはない。

純愛とは初恋、片思い、特攻隊に行った恋人をいつまでも思う。まさに五郎と藤澤春子のようなものをさす。これが純愛である。純愛は、相思相愛の男女が悲恋となり、もうこの世で恋は成就しないと悲観したとき心中に発展することもある。そのくらい思いの深い愛である。

恋愛とは、五郎と中山春子の場合が考えられる。恋愛の恋とは亦の下に心と書く。下心がある情交の愛である。情交が、いつしか破局を迎えることがある。原因は、性格不一致とよく云われるが、これは口実で実際は、陰茎・陰核〔性交サイズ〕の不一致で別れているのが実情である。男女共に和合して絶頂感に達していれば、どんなことが起ころうとも別れることはない。晩年の人妻の中山春子との熱愛であるが、これが本当の恋愛であり、情交である。

もし結婚となると。藤澤春子が生存していて五郎と三郎どちらの男《ひと》を選ぶか。情交のない「純愛」と情交を伴う「恋愛」。その選択となると、私の推測は?!・・・・・

これは大変に難しい難問だ。

「純愛」、「恋愛」以外に・・・「秘恋《ひれん》」・・・「秘愛《ひえ》」・・・というものがある。

秘恋《ひれん》は人を乞《こ》〔恋〕うる。悩める老若男女を無間《むげん》〔愛欲地獄〕から救う。真言宗の教えのなかに無間から救済する高野《こうや》〔理趣《りしゅ》ともいい、煩悩を打ち消す教え〕がある。

煩悩を乞《こ》〔恋〕う也《なり》が聞き慣れて・・・乞《こう》〔恋〕也《や》・・・高野に。

空海は、その情交の煩悩を消去するため高野山を祈りの聖地とし、その根本道場を金剛峰寺《こんごうぶじ》とした。金剛とはダイヤモンドをさし、ダイヤモンドの如く固い意思で情交の迷いを高野で禁断〔悲恋《ひれん》〕しようとした。どんな立派な聖人であっても、情交の欲望はいつも渦巻いており、心揺らいでいるのだ。

秘愛《ひえ》〔自我のなかにある秘めた愛を護る〕とは、帰依《きえ》〔神仏におすがりし愛を護る〕と共に愛を守ることに違いはなく、同語意ようなものである。帰依するも情交の欲望に勝てず、肉欲が嵩じれば人人《にんにん》〔非人間的になり愛を貶める。非愛《ひあい》ともいう〕になることがある。天台宗の教義は秘愛《ひえ》で、これは冷えにも通じ、愛が冷めると、悲愛《ひえ》・・・比叡《ひえい》〔愛をあきらかにする〕になる。天台宗では、秘愛を尊ぶため延暦《えんりゃく》〔暦年に亘って〕秘愛《ひえ》の教義につとめている。天台宗の根本道場延暦寺は、延暦からとった名称である。

秘恋《ひれん》≒悲恋《ひれん》、秘愛《ひえ》≒悲愛《ひえ》は、ともに表裏一体で、これこそが人間の本性である。

秘恋、秘愛は、そのとき、そのときの情況〔特に内奥に秘めたもの、時間、場面〕

で悲恋、悲愛に変移していく。心変りによってである。この変貌は、誰も責めることは出来ないし、非難してはならない。これは人間の本性で、人間の心は一日、三千三回変移する。そのときの煩悩の状態によって決し、特に男女関係の綾糸は、精神状態が大きく作用する。藤澤春子が、どちらの男《ひと》を選択するかは、?!で、永遠の謎である。

人間は、恋愛、愛欲に飽きてくると、それ以上の刺激を求める。すなわち悟りを得ようとする。

さて「悟り」であるが、浄土真宗の中興の祖、蓮如が御文章の最後に「あなかしこ、あなかしこ」と結んでいる。これは老若男女が和合して睦みあうことである。悟りとは色々難しく解釈されているが、これもはやく言えば男女が睦み絡み合い、究極的には子孫を残すことである。子孫を残さなければ哲学も、宗教もなにも残らない。・・・「空」・・・である。

子孫が絶えれば、空の議論さえ話題にのぼることもない。人類は子孫を営々と残さなければならない宿命が課されている。生命の有限性、連続性、必然性であり、これを否定することは神への冒涜であり許されない。他の種族においても同様である。

これが真の「悟り」で、自然の摂理でもある。

私は坊さんの中で、その性が悟りとし宗教を広めた親鸞に限りない尊敬を覚えている。これが人間世界また万物の共通の原理である。

釈迦は生きるうえで一番大切なことは「中庸《ちゅうよう》の精神」であると説いた。

中庸とは普通のことである。この普通の定義ほど難しいものはない。その時代、そのときの情況。戦国時代では人殺しが、一般的に普通に行われる時代でもあった。明治時代になれば、帝国主義を信奉しない者は、政治家にして政治家にあらずとされた。帝国主義とは愛国心と軍国主義が組み合わされたものだ。この時代には愛国心が当たり前だった。昭和の時代にはセクハラも日常茶飯事であったが、令和ではそれは許されない時代となった。セクハラも時代情況によって変化していく。

「夫《つま》の手がそっと股間に忍び寄る」

私が書いた詩である。こんな詩を書き並べると不謹慎であると、一昔前だと大批判が起きたであろう。然し、今は何も問題にされない。是も個性であると評価される。

さて、また悟りの話しにもどそう。三千世界の大聖人、大偉人も情交して生まれた人間である。特別な者でもなんでもない。その理《ことわり》を知っておくべきである。古今東西の大聖人、大偉人は労働を放棄し、妻子を捨てて人非人、世捨人の行き方をした。これは何もかも捨てても食べていけるだけの経済力があったからである。ものの道理の分かる識者は、こんな人間失格者を見習ってはいけない。偽善的で軽薄な者をいつまでも拝んでばかりしてはいけない。

一番偉いのは、汗して働く労働者である。陸奥、八戸の思想家、安藤昌益は釈迦をなまくら者と批判し、一番偉い人のは百姓であると。労働すなわち直耕が一番大切と説いた。その通りである。

老若男女、一家を構え和合して子孫を残すものが一番偉い。これが悟りである。

最愛の妻へ

生野　忠祥

昌子よ、何故こんなに早く独りで逝ってしまったんだよ。

運命的なあの日あの時、貴女のベットの傍で治療〔酸素吸入〕を見守っていたら突然息が止まってしまった。

眼の前の現実を見て僕は、ショックと悲しみ、怒り、悔しさが一気に押し寄せて来て、もうどうする術もなく只々、涙するだけだった。この慟哭は一生忘れることはないだろう。

遺品整理をしていたら、生前に貴女が書いていたメモ書きが数点、見つかりました。

それには、

・葬儀は音楽葬にしてほしい。
・戒名はいただかず、生前の名前にしてほしい。
〔生前に聞いていれば良いと思う。何故早く云ってくれなかったんだよ。そうすれば貴女の希望通りにしてあげられたのに残念です。聞いてあげられなくてごめんね〕

メモ書き　二　日時不明

情けない、つらい、部屋に閉じこもっているベットの横の水が飲みたい。あなたは一番頼りになる人なのにどうしても言えない。あなたは看病で疲れているのに、私はすぐささいな事で、いやみを言ってしまう。私が意地を張って素直になれない。こんな顔をあなたは見たくないと思う。子供三人いるのに、こんな歳をして夫婦喧嘩。いつも私の方から・・情けないと分かっているのに。

このまま自分の気持ちをだまして生きていけば自然とあの世にいけるのに、もう少し頑張って生きていくしかない。

自分自身もう本当に、いい歳をしてあなたに優しく言えない。明日からも、つらい治療が続く、・・・ものを云ってくれなくても、体がしんどくても外にでるのがおっくう・・でも本当にしんどいの、何にもしたくない。

これが駄目なことが分かっていても、一歩ふみ出せない自分がいやになる。もう少し陽気で前を歩いてと思うけど・・・お父さん、ごめんなさい。

〔貴女は、この時分が一番辛かったんだろうと思う。だから無理なことでも何でも言いたかったんだろう。メモ書きを書いた貴女の、その時の気持ちを考えると貴女がとても愛しい〕

メモ書き　三　日時不明
五十年目の感謝
あなたは今日も私の為に食事を作ってくれています。頭の下がる思いです。
私は素直でないから云えなかったけどありがとう。ガンが転移して動転しています。折角食事を作ってくれているのに余り味が分かりません。すみません。
もう五十年以上も一緒にいるけど、余りやさしい言葉はかけてくれなかった。
でも幸せでした。今のままのお父さんでいてください。たくさんたくさんありがとう。
昌子より

〈貴女はこの時分も多分、後遺症で苦しんでいたと思う。すべてに渡ってこの様な状態であっただろうに、何かしてあげる事がなかった僕の優柔不断が情けない。また、こんなに苦しんでいた中に、貴女は、細川がラシャ夫人の辞世の句、

散りぬべき時をしりてこそ世の中の花も花なれ人も人なれ

をメモ書きに残していましね。貴女は自分の運命が、もうあと少しで尽きると分かっていて書いたのかと思うと本当に愛しい。優しい貴女に逢えることが叶うなら、もう一度逢いたい。夢ででも逢いたい。

貴女と結婚して五十五年、半世紀を一緒に過ごして来たね。その間、人生色々な出来事にぶつかり、それを二人して耐え忍んで進んできました。貴女は我が家に嫁いで来てから子育て、会社勤め、家の建替え、本屋販売業と休む間もなく一生懸命頑張ってくれました。

その証として貴女は常に人に優しくニコニコどんな事にも負けない。人の悪口は云わない。そして誰よりもやさしく豊かな人間性を身につけましたね。そして財を成し

てくれました・・・。

今、僕は貴女が永眠してから毎日~孤独一人ぼっち。この淋しい思いがどうしょうもありません。でも何とかしないと本当に孤独人間になってしまう。何か趣味・娯楽を作らなければと考えていますが、常に貴女のことが根底に浮かびます。貴女の笑った顔、泣いた顔、一番好きだったのは、恥ずかしそうにはにかんだ顔でした。

貴女が元気なときに笑って云った。私が先に行くようなことがあれば、三途の川で待っています・・・僕は、それを信じて、もう少し頑張ってみようと思います。それまで待っていておくれ」

最愛の妻、昌子へ

自遊人紹介

大矢　昇　自遊人行動学研究家・国際宗教学者
昭和21年　山羊座　大阪府交野市生まれ
現、枚方市長尾に居住
遊学歴　香里中・高校、京都の大学を経て自遊学を研究・確立
なにわ自遊人塾塾長
京阪枚方市駅近くのイズミヤ北側のマクドナルドで月数回、塾を開催。今回「恋愛と悟り」を執筆

島上　亘司《ひろし》　なにわ自遊人塾　賄方《まかない》
昭和22年　香川県香川郡塩江町塩江生まれ
現、高槻市塚原地区に居住
還暦より自遊人学を学ぶ。今回「春子絶唱」を執筆

生野《いくの》　忠祥《ただよし》　なにわ自遊人塾　中庸方
昭和13年　吹田市高浜町生まれ
現、吹田市日の出町に居住
今回「最愛の妻へ」を執筆

著者紹介

島上《しまのかみ》　亘司《ひろし》

昭和22年〔1947〕　香川県香川郡塩江村大字安原上東百番地で出生
現住所　香川県高松市塩江町安原上東百番地
三好長慶子孫の会副会長　安原文化の郷歴史保存会会員
讃岐・別子八郎伝説の会会員　なにわ自遊人塾会員
塩江中学校の同窓生、藤澤保氏〔塩江を愛する人〕、和泉幸弘氏〔塩江初の流行歌手〕の友情を得て、塩江町の町興し小説を執筆中

塩江物語　第一話「大蛇」　平成26年〔2014〕発行
第二話「生きる・冬子のなみだ」　平成27年〔2015〕発行
第三話「秋子慕情」平成28年〔2016〕発行
第四話「牛鬼」　平成28年〔2016〕発行
第五話「おもちゃの消防車」　平成29年〔2017〕発行

塩江物語　第六話「春子絶唱」

令和二年十二月十二日　初版発行

著　者　島上　亘司
発行所　株式会社　美巧社
〒七六〇－〇〇六三
香川県高松市多賀町一丁目八－十
ＴＥＬ〇八七－八三三－五八一一
ＦＡＸ〇八七－八三五－七五七〇

印刷・製本　㈱美巧社